Historia de Chicago

Una Guía Fascinante Acerca de las Personas y Eventos que Determinaron la Historia de la Ciudad de los Vientos

Tabla de Contenido

Introducción

Chicago irrumpió en la vida a orillas del lago Michigan hace 200 años. Fundada como un pequeño asentamiento temporal, la ciudad se convirtió en un punto crucial del comercio de pieles estadounidense antes de convertirse en una de las potencias de la Revolución Industrial. Desde la adquisición de agua potable hasta la implementación de la igualdad racial, nada ha sido sencillo para las personas que han llamado hogar a Chicago, y sin embargo, existe un inmenso orgullo entre los habitantes de Chicago por lo que ellos y sus miembros han logrado.

La ciudad ha sido el hogar de algunas de las personas más influyentes de Estados Unidos, ya sean presentadores de programas de entrevistas o presidentes de la nación. Cada estrella en la bandera de Chicago representa un logro para ser recordado; cada edificio era una que ha ayudado a dar forma a la ciudad moderna en lo que es actualmente.

Antes de que hubiera pizzas al molde y hot dogs candentes al estilo Chicago, había personas simples que pescaban, cultivaban y vivían entre los nativos americanos que les mostraban cómo sobrevivir. Antes de que hubiera rascacielos y la Junta de Comercio de Chicago, había maíz, frijoles, casas de campo y tejedores.

Pero desde el momento en que John Baptiste Point du Sable, descendiente de africanos, pisó las llanuras que se convertirían en una de las ciudades más grandes de Estados Unidos, Chicago siempre ha sido una comunidad de inmigrantes bien intencionados y trabajadores que buscan la oportunidad de demostrar su valía.

Capítulo 1 – El Sendero de Lágrimas de Chicago

Chicago actualmente es un espectáculo de la industria y la arquitectura. Es un centro de finanzas, creatividad, negocios e impulso para 10 millones de personas en el área metropolitana de Chicago, incluidos 3 millones en la ciudad propiamente dicha. Cuando contempla esta icónica ciudad estadounidense, inevitablemente ve el lugar de nacimiento del rascacielos, el hogar de la arquitectura de estilo Chicago; incluso el preciado hogar adoptivo de Oprah Winfrey. Pero mucho antes de que existiera cualquiera de estas personas y estructuras, Chicago era una simple extensión de tierra virgen junto a un extenso lago de agua dulce.

Había pastos de pradera tan altos como la cintura de un hombre adulto, abetos y álamos que se volvían cada vez más espesos hasta formar un vasto bosque y aguas cristalinas del lago repletas de peces. Pasaron diez mil años en los continentes estadounidenses sin ninguna influencia colonial externa, y fue durante este tiempo que cientos de tribus de migrantes del puente terrestre de Bering desarrollaron un nuevo conjunto de culturas. Muchos nativos americanos cazaban en la hierba alta y pescaban en el lago, incluidos los Sauk, Fox, Algonquin y Miami. Se unieron, lucharon, acamparon y se mudaron innumerables veces hasta que una tribu, los Potawatomis, establecieron una residencia semipermanente en la tierra en el borde suroeste del lago Michigan.

Fueron los Potawatomi quienes habitaron el área cuando los exploradores y colonos franceses comenzaron a llegar en el siglo XVII. Los dos grupos tuvieron una relación pacífica, o al menos neutral, durante la primera parte de ese siglo, pero las cosas cambiaron cuando el Nuevo Mundo se convirtió en la principal fuente de pelajes y pieles de castor en Europa. Aunque la mayoría de los comerciantes de pieles europeos establecieron originalmente una red de trabajo con miembros de la nación Huron, los iroqueses comenzaron a atacar a los Huron y a cualquier otra tribu en el noroeste que se interpusiera entre ellos y la floreciente industria.

Incapaces de resistir el ataque, los Potawatomis se trasladaron al oeste y se establecieron en los bosques superiores de Michigan y Wisconsin, donde podían cazar y pescar de la forma en que estaban acostumbrados. Dejaron la tierra fértil a los franceses, que estaban felices de construir un asentamiento en la tierra del ajo silvestre, llamado "Chicagoua".

Finalmente, los ataques de los iroqueses se volvieron menos frecuentes y diferentes grupos nativos pudieron una vez más comerciar con los europeos. Muchos Potawatomi regresaron al lago Michigan y se asociaron con los nuevos residentes. Los nativos intercambiaron pieles y alimentos, pero también asumieron el papel de intermediarios entre europeos y varias tribus. Aprendieron francés y asumieron papeles importantes como traductores, también resolvieron disputas cuando fue necesario. Este fue un gran activo porque las guerras iroquesas, conocidas como las guerras Beaver, habían trastornado a un gran número de nativos americanos que se habían visto obligados a mudarse, perdiendo sus tierras y sus perspectivas comerciales.

A pesar de la economía cambiante, los nativos de Potawatomi generalmente subsistieron como siempre, con la caza, la jardinería y la pesca. Pacíficos, habilidosos y dispuestos a ayudar tanto a los nativos como a los europeos, el territorio de la tribu se volvió más extenso que nunca. Sin embargo, la era de prosperidad y expansión no prevalecería.

En 1789, los Potawatomi fueron sometidos a su primer tratado de tierras, mediante el cual adquirieron efectivo y tierras al oeste a cambio de su abandono del asentamiento en el lago Michigan. Dondequiera que se mudaran, los nuevos tratados de tierras los persiguieron hasta que finalmente, los grupos restantes se vieron obligados a convertirse en ciudadanos estadounidenses o enfrentar más persecución. Aunque los miembros de la tribu habían luchado con los estadounidenses (y en otros momentos, por los británicos) en la guerra de la Independencia, ninguno de los bandos les otorgó favores. Al final, la tribu Potawatomi perdió un estimado de 89 millones de acres de tierras de caza y forrajeo vírgenes, incluido el asentamiento junto al Gran Lago.

La rendición inspiró el nacimiento de la Nación Ciudadana Potawatomi, un intento de los miembros de la tribu para conservar su historia y cultura para las generaciones futuras. Actualmente, la Nación Ciudadana Potawatomi es una de las 39 tribus nativas americanas reconocidas a nivel federal, pero su sede está alejada de Chicago. A un francés de ascendencia africana, Jean Baptist Point du Sable, generalmente se le atribuye la fundación de Chicago como un asentamiento permanente en algún momento a finales del siglo XVIII.

Image Source

Cuando el último grupo de nativos Potawatomi fueron expulsados de la zona, los miembros de la tribu se alistaron con trajes de guerra para realizar una danza de guerra. Fue la última vez que se presenció en Chicago.

Capítulo 2 – Todos los Caminos (y Ferrocarriles) Conducen a Chicago

Los exploradores franceses descubrieron Chicago por primera vez a través del transporte de Chicago: una franja de tierra que conecta el río Mississippi y los Grandes Lagos. Aquí, los exploradores y las personas nómadas llevarían sus canoas de un borde a otro del agua, conectando así las secciones este y oeste de los Estados Unidos establecidas en Europa. A mediados del siglo XVIII, sin embargo, las cosas eran muy diferentes de lo que habían experimentado los habitantes originales de Chicago. El primer paso hacia la modernización fue hacer que el transporte fuera lo más eficiente y efectivo posible. Con ese fin, en 1848, se completaron el canal de Illinois y Michigan, y los ferrocarriles de la Unión Galena y Chicago.

Para 1837, la comunidad no solo estaba en auge, sino que se incorporó como una ciudad formal. Durante una década después, fue la ciudad de más rápido crecimiento en los Estados Unidos. Originalmente atractiva para los colonos y nativos como centro de comercio de pieles, la ciudad fue el hogar de muchas más industrias en crecimiento en el siglo XIX. Con el apoyo de sus dos principales sistemas de transporte, la población continuó creciendo a medida que los comerciantes y posibles propietarios de negocios se inundaron, en busca de oportunidades para obtener tierras, empleos y dinero. Algunas personas innovadoras se hicieron ricas, definiendo a Chicago como una ciudad estadounidense de primer nivel.

Las vías del canal permitieron que los barcos de los Grandes Lagos se conectaran al río Mississippi y continuaran tierra adentro con carga y pasajeros. Los envíos de carnes, productos, hierro y herramientas de fabricación proporcionaron a los habitantes de Chicago victorianos todo lo que necesitaban para prosperar, mantener a las familias y participar en la era industrial que había invadido todo el mundo occidental. Del "Resumen Anual de los Negocios de Chicago", del año 1852:

El pasado ha sido un año de prosperidad sin precedentes, y nuestra ciudad ha compartido en gran medida el progreso general del país. En ningún año anterior se ha logrado tanto para establecer su negocio de manera permanente y extender su comercio. Por la extensión del ferrocarril de Galena a Rockford, hemos atraído a esta ciudad el comercio de porciones de Wisconsin, Iowa y Minnesota, que hasta ahora buscaban otros mercados; y cuando nuestros caminos lleguen al Padre de las Aguas, como lo harán dos de ellos en el presente año, podemos esperar una avalancha de negocios, para lo cual tememos que todas nuestras casas mayoristas no estén preparadas.

No fueron solo los suministros y los colonos quienes se dirigieron a Chicago por los canales, carreteras y trenes; eran turistas estacionales también. "La apertura del ferrocarril de Rock Island, el 18 de octubre a Joliet, el 5 de enero a Morris, el 14 de febrero a Ottawa, y a La Salle el 10 de marzo, ha traído clientes durante el *invierno animado*' para nuestros hombres de negocios (*ibid.)*".

Image Source[iii]

En los meses más fríos, Chicago fue visitada por sus conexiones del norte que llegaron no solo para obtener un poco de alivio del mal tiempo, sino también para comprar. Casi simultáneamente a la construcción de carreteras y ferrocarriles, las calles de Chicago crecieron en una gran cantidad de escaparates para una variedad de productos. La joyería fue uno de los primeros favoritos para los compradores, ya que solo una casa de artesanías afirmó haber vendido más de $ 20.000 en joyas y relojes decorativos por valor a finales de 1852. Por supuesto, los visitantes con menos medios también podían llenar sus maletas mientras paseaban por las calles comerciales de la ciudad. Las numerosas tiendas de Chicago de mediados del siglo XVIII ofrecían productos, sal, carbón, carne de cerdo, harina, ladrillos ignífugos, hierro, madera, tejas, libros, muebles, productos secos, medicamentos, productos químicos, porcelana, vidrio, servicios de fotografía, hardware, cubiertos, finanzas y seguros.

En 1865, Chicago se convirtió en el hogar de un joven llamado Marshall Field, y el sector comercial de todo el país nunca sería el mismo. Después de trabajar en varios puestos minoristas en tiendas de productos secos, Cooley, Wadsworth and Co., Field decidió comprar la sociedad después de la partida de Cooley. La compañía se convirtió en Farwell, Field & Co. Field permaneció en la tienda general durante tres años antes de comprar una segunda sociedad que le ofreció Levi Leiter. Hubo muchos más cambios en la asociación a lo largo de los años, y en 1881, Marshall Field estaba al frente de "Marshall Field y Compañía".

Seis años después, la "Tienda Mayorista de Marshall Field" ocupó un edificio de ladrillos de 4 pisos que ocupaba una manzana entera. Construida por Henry Hobson Richardson, la primera tienda departamental en Chicago fue una de las tres primeras de su tipo en todo el país a finales del siglo XIX. La tienda mayorista de Field se especializó en la venta de mercancías a granel a pequeñas tiendas en todo el centro y oeste de los Estados Unidos; Cuando murió en 1906, Marshall Field era una de las personas más ricas de Estados Unidos.

El distrito en el que se encontraba la tienda del Marshall Field se convirtió en una importante zona comercial de Chicago a principios de siglo, una que todavía está muy de moda hoy en día. Rodeado por un ferrocarril elevado y repleto de vueltas de teleférico, este pequeño rincón de la ciudad recibe el apodo de "Loop".

La tienda de Marshall Field no fue solo una experiencia de compra colosal debido a su edificio de varios pisos y su inmensa departamentalización; el hecho es que Field's fue una experiencia de compra completamente nueva en parte debido a cómo fueron tratados por el personal. Los trabajadores de Field no solo estaban haciendo cambios y empacando artículos; estaban allí para mimar a sus clientes. Los operadores de ascensores incluso habían pasado por la escuela de encanto para aprender exactamente cómo desempeñar el papel de anfitrión / anfitriona. Lo que es más, los asistentes en el mostrador de información hablaban varios idiomas y respondían felices preguntas sobre la tienda y la ciudad. Fue una experiencia lujosa que ilustró perfectamente el mundo del capitalismo y el emprendimiento estadounidense del siglo XIX.

Image Source

Mientras más crecía Chicago, más cautivaban sus negocios al resto del país. Tal como había sido cientos de años antes, el asentamiento en el Gran Lago fue un centro de actividad económica.

Capítulo 3 – Trabajo y la Era Industrial

La era victoriana fue una época de grandes cambios para todo el mundo, y la joven ciudad de Chicago estaba preparada para participar al máximo. Tenían una población en crecimiento, abundantes recursos naturales y una infraestructura bien formada para llevarlos al futuro. Pasar de la agricultura y el comercio de pieles a la industria parecía casi natural para una generación joven de habitantes de Chicago para quienes el capitalismo era la brillante promesa de un futuro mejor.

Como en todas las regiones industrializadas, los empresarios de Chicago construyeron rápidamente fábricas y las llenaron de trabajadores. Los primeros trabajos en la fábrica fueron procesar carne de cerdo, moler harina de trigo y aserrar madera, generalmente haciendo uso de los suministros que tenían disponibles de forma natural. Los materiales procesados no solo eran necesarios para seguir alimentando a los residentes y construir más viviendas, sino que también los compraban personas ajenas que necesitaban los mismos suministros.

En 1852, se establecieron dos fabricantes de vagones de tren en Chicago. Ese mismo año, New Hydraulic Works construyó más de 9 millas de tuberías de agua y completó un pozo, y se esperaba que pronto abastecieran a toda la ciudad con agua limpia y fresca. Otras compañías en el sector manufacturero florecieron, incluidas las segadoras del Sr. McCormick, los constructores de vagones y carruajes, las curtiembres de cuero, los fabricantes de estufas y los artesanos de relojes / joyas.

Con una infraestructura sólida como el hierro, Chicago dio los siguientes pasos hacia una fabricación más pesada. Los dueños de negocios querían construir todo, desde ollas para cocinar hasta bicicletas, y necesitaban personal para producir productos de manera oportuna. Fue un momento inusual para las familias rurales, que siempre habían dependido de la agricultura para mantenerse. Muchos agricultores se mantuvieron fieles a sus granjas; sin embargo, las generaciones más jóvenes estaban sujetas a la atracción del trabajo asalariado: dinero a cambio de horas. Entonces, los jóvenes esperanzados se dirigieron a la ciudad en crecimiento en busca de una mejor forma de vida.

Otro tipo de demandante de empleo fue junto a la población rural: exesclavos, recientemente independientes gracias a la Proclamación de Emancipación el 1 de enero de 1863. De repente, miles de personas necesitaban encontrar un lugar para vivir y trabajar, y Chicago cumplía perfectamente los requisitos. Además de empleos y hogares, Chicago ofreció a los afroamericanos algunas de las leyes antidiscriminatorias más liberales del país. La segregación escolar y de viviendas fueron prohibidas en la década de 1880, y aunque en la década de 1950 las tensiones raciales se habían convertido en la norma, la Revolución Industrial fue un momento relativamente beneficioso para muchas personas de raza negra.

También fue un momento de oportunidad para los europeos que buscaban su propia porción de Estados Unidos para llamar hogar. Miles de inmigrantes inundaron los Estados Unidos, muchos se quedaron en la ciudad de Nueva York y muchos otros buscaron

Chicago, Filadelfia y otras ciudades que experimentaron un auge económico.

STATE STREET, LOOKING NORTH FROM QUINCY STREET

Image Source

Esta inmensa afluencia de trabajadores de fábrica dispuestos fue beneficiosa para los muchos capitalistas de Chicago. La madera procesada en fábrica fue nuevamente transformada en muebles, y el trigo molido se convirtió en pan. Chicago se había vuelto completamente autosuficiente, sus engranajes giraban tan rápido como los suministros primarios y los trabajadores capacitados podían mantenerlos. Parecía que no había nada que un empresario visionario con suficiente capital de inversión no pudiera lograr en la "Ciudad de los Vientos" (más detalle sobre ello más adelante). El resto del país, y el mundo, no pudieron evitar percatarse.

"Chicago", de Carl Sandburg:

"Carnicero Del Mundo,

Fabricante De Herramientas, Estibador De Trigo,

Jugador De Ferrocarriles Y Faquín De La Nación;

Tempestuosa, Robusta, Vocinglera

Ciudad De Anchos Hombros"

Los "anchos hombros" se refieren a la fuerza e importancia de Chicago para el resto de los Estados Unidos. Con dinero, trabajadores, recursos y manufactura, la ciudad estaba asaltando el futuro.

Solo había un problema: las condiciones de trabajo, como las de todas las ciudades de la Revolución Industrial, no eran sostenibles. Y por lo tanto, no lo eran ni la fuerza laboral, ni la industria misma.

Herramientas como la perforadora, la cepilladora y la prensa de metal eran increíblemente peligrosas y, a menudo, causaban lesiones y muertes en el lugar de trabajo. En la edición del 14 de junio de 1879 de The Socialist de Chicago, se informó que una caldera en Bryan's Brickworks explotó, matando a 5 hombres e hiriendo a muchos más. Accidentes como este eran muy comunes, y en ese momento, las empresas carecían de cualquier tipo de plan de compensación para sus empleados. Además de eso, los niños de hasta 5 años de edad fueron empleados regularmente en fábricas junto a sus familiares.

Con condiciones inseguras, la explotación de niños pequeños y bajos salarios, los trabajadores de las fábricas en Chicago no estaban dispuestos y literalmente no podían continuar. Había muchos problemas laborales que rectificar, por lo que comenzaron con un intento de acortar la jornada laboral. Comenzaron a hablar entre ellos y a organizarse. Después de una batalla de cuatro años para inculcar un máximo de 8 horas por día para los trabajadores a tiempo completo, los trabajadores finalmente planearon una huelga en 1867. Patrocinado por la primera Asamblea de Comercios de Chicago, la huelga duró una semana y finalmente fue exitosa.

Sin embargo, los problemas continuaron y, en 1877, se produjo una segunda huelga a gran escala, esta vez en el ferrocarril. Estas marchas y protestas se originaron en Martinsburg, West Virginia, antes de incitar a más trabajadores a abandonar sus trabajos en Filadelfia y Pittsburgh. Después de semanas de leer las noticias, los habitantes de Chicago habían tenido suficiente. Volvieron a las calles, pero esta vez, las protestas fueron violentas y mortales.

No solo los trabajadores del ferrocarril estaban marchando; eran trabajadores de las plantas empacadoras de carne y empleados en los aserraderos. Chicago se enfureció por la guerra de clases entre los propietarios de fábricas ricas y los trabajadores pobres y con exceso de trabajo, y finalmente la clase trabajadora en su mayoría irlandesa y alemana no pudo aguantar más. Su dolor fue alimentado por el grupo socialista local, que aprovechó la oportunidad para difundir su mensaje sobre los derechos de los trabajadores y los abusos de la clase dominante, que, en este caso, eran capitalistas.

Del 24 al 28 de julio de 1877, las calles de Chicago estaban repletas de huelguistas, policías, socialistas y eventualmente unidades militares. Aunque los habitantes de Chicago ya habían alcanzado el día laboral de 8 horas en términos de legislación, los empleadores no se adhirieron a la ley. Los trabajadores y sus colegas en otras ciudades insistían en la regulación de sus horas de trabajo, mientras que los huelguistas de los ferrocarriles habían pedido la nacionalización entre todas las estaciones.

El 26 de julio, la policía y el Segundo Regimiento de Milicias atacaron a unos 5.000 trabajadores en Halsted y la calle 16. Los enfrentamientos entre la policía y la mayoría de los trabajadores inmigrantes fueron violentos, y cuando todo terminó, al menos 18 personas murieron. Cientos resultaron heridos en todos los sitios del enfrentamiento que se denominó la batalla del Viaducto.

En otro conflicto conocido como el Raid Turner Hall, la policía irrumpió en una reunión sindical de Trabajadores Alemanes Del Mobiliario, matando a un hombre e hiriendo a otros. Más tarde, los agentes de policía fueron declarados culpables de obstruir los derechos de las víctimas a la libertad de expresión.

Finalmente, la huelga de 1877 fue infructuosa para los trabajadores en huelga en todas las ciudades. Una vez que se restableció el orden en las calles, el alcalde Heath de Chicago pidió a los dueños de las fábricas que reabrieran de inmediato y "otorgaran la mayor cantidad de empleo posible a sus trabajadores". En su mayor parte, los empleados regresaron silenciosamente al trabajo por los mismos salarios y en las mismas condiciones que antes.

Dos décadas más tarde, Chicago experimentó otra serie de huelgas comerciales, pero estas fueron marcadamente diferentes a las que habían ocurrido antes. Había dos factores nuevos en el trabajo en los asuntos laborales de la ciudad en ese momento: la unión y la política reconocidas por el gobierno. Cuando la fuerza laboral de Chicago sintió que era hora de otra manifestación en 1894, la huelga fue liderada por la American Railway Union. Al principio, el gobierno local reconoció el derecho del sindicato a protestar, pero la inmovilidad de muchos de los ferrocarriles de Estados Unidos llevó a la corte federal a permitir que la compañía declarara ilegal la huelga. Después del veredicto, el presidente Grover Cleveland envió a 7.000 mariscales federales y tropas estadounidenses a Chicago, donde la violencia se produjo nuevamente. Incluso 25.000 sindicalistas no lograron vencer a los poderes fácticos.

Después del cambio de siglo, Illinois estableció el Departamento Estatal de Inspección de Fábrica y cedió a un día laboral de 10 horas para mujeres. En 1911, la Ley de Enfermedades Ocupacionales y la Ley de Compensación de los Trabajadores fueron aprobadas. Los trabajadores de Chicago han continuado la huelga a menudo en busca de condiciones de trabajo ideales, y en 1971, se aprobó la Ley de Salario Mínimo de Illinois.

Capítulo 4 – La Ciudad más Sucia en América

La revolución industrial generó la dicotomía. Por un lado, otorgó a los habitantes de Chicago empleos, bienes y conexión con el resto del mundo. Por otro lado, la ciudad estuvo cubierta de hollín, suciedad y humo negro de las chimeneas de las fábricas durante todo un siglo antes de abordar el problema de la contaminación. El problema llegó a un punto crítico en la década de 1950, cuando los trabajadores y las familias comenzaron a exigir mejores condiciones para ellos y sus hijos. Del *Chicago Tribune*:

> El humo y el hollín eran tan espesos que borraron el sol. Los residentes que colgaban su ropa limpia para secarla se pusieron camisas blancas sucias y ropa interior arenosa. Las ventanas abiertas significaban cortinas y alféizares sucios. Los edificios nuevos se desgastaron rápidamente cuando la contaminación cáustica consumió la piedra. Esta no es una visión distópica del futuro. No es una descripción de la rápida industrialización de China o India. Es el pasado de Chicago.

Además de la contaminación industrial, Chicago enfrentó los mismos problemas de saneamiento que todas las ciudades más pobladas del mundo: basura, alcantarillado y agua potable.

Al principio, los residentes bebían agua del lago Michigan y volcaban la basura. En cuanto a las aguas residuales, se fueron al río Mississippi. Durante un tiempo, estos métodos demostraron ser lo suficientemente prácticos, pero a medida que la población de Chicago creció, se hicieron necesarias soluciones directas para las aguas residuales.

Image Source[ii]

En 1852, el primer ingeniero de alcantarillado de la ciudad fue llevado a cabo por el ingeniero jefe Ellis Sylvester Chesbrough. El plan de Chesbrough no era particularmente complejo, pero era increíblemente ordinario. El primer problema que enfrentó fue que Chicago era plana y estaba cubierta por el tipo de tierra que se convertía directamente en barro bajo la lluvia. Como buscaba que el nuevo sistema de alcantarillado desembocara en el río Chicago, necesitaría crear un gradiente por el cual el agua pudiera fluir. Lo hizo al excavar la tierra del lecho del río y apilarla en las partes de la ciudad que estaban más congestionadas. Chesbrough agrupó, instaló alcantarillas, luego las cubrió nuevamente. Se tuvieron que construir calles completamente nuevas sobre las alcantarillas terminadas.

Al mismo tiempo, Chesbrough hizo que los trabajadores cavaran un túnel de admisión debajo del lago Michigan que conectaba con un punto de procesamiento a dos millas tierra adentro. En unos pocos años, el agua de alcantarillado había llegado a la desembocadura del lago Michigan y comenzó a contaminar el suministro de agua de la ciudad. Habiendo visto este problema resolverse durante las estaciones secas cuando el flujo del río se invirtió, los planificadores de Chicago finalmente decidieron invertir permanentemente el flujo del río Chicago. Para lograr este fin, el personal de obras públicas tuvo que profundizar la longitud del canal que se extiende entre Bridgeport y Lockport, agregando varias bombas en el camino. Por lo tanto, el canal se transformó en una alcantarilla abierta que simplemente diluyó las aguas residuales entrantes. Además, el túnel de admisión debajo del lago se extendió aún más para mantenerse por delante de las aguas residuales.

Para 1900, se creó el Distrito Sanitario de Chicago para hacer frente a los problemas de alcantarillado en curso. Durante décadas, las obras públicas de alcantarillado se basaron por completo en canales, y pronto Chicago fue atacada por sus estados vecinos y Canadá por su propuesta de desvío de agua de los Grandes Lagos. Mientras Chicago esperaba el permiso legal para seguir adelante con el plan de desvío, cavó más canales. Finalmente, a pesar de las preocupaciones de otras regiones de los Estados Unidos y Canadá, Chicago logró su objetivo de desviar el agua para el alcantarillado.

Chicago respiró tranquilamente; la colindante St. Louis se ocupó de las consecuencias. Casi de inmediato, la aterradora tasa de fiebre tifoidea en Chicago se incrementó en un 80 por ciento. Fue una época dorada para los habitantes de Chicago, pero solo duraría una década.

Diez años después de que el desvío de agua de los Grandes Lagos comenzó a eliminar las aguas residuales de Chicago hacia el suroeste, los canales comenzaron a verse un poco abrumados una vez más. Con pocas ideas, los organismos administrativos de Chicago tardaron otra década en descubrir qué hacer al respecto. En la década de 1920, la Corte Suprema dictaminó disminuir el desvío de agua de los Grandes Lagos cada vez más en el transcurso de los próximos 8 años, lo que finalmente motivó a la ciudad a centrarse en la gestión adecuada de las aguas residuales en lugar de construir más canales. En 1922, se construyeron las obras de tratamiento de aguas residuales de Calumet; más plantas siguieron en 1928, 1931 y 1939. En 1970, Chicago contaba con el sistema de alcantarillado de aguas residuales más grande del mundo; desafortunadamente, el sistema nunca ha alcanzado la perfección. Incluso hoy en día, aún se necesita algo de agua de los Grandes Lagos para procesar el desbordamiento del canal. Al igual que hace más de 100 años, el sistema de tratamiento de agua de Chicago está bajo constante presión y vigilancia.

El saneamiento de basura era otro trabajo completamente diferente. En los primeros días de Chicago, había pozos de cantera dedicados y pozos de arcilla para el vertido de basura. Cuando la ciudad entró en la era industrial, mucho más que heces de animales biodegradables, desperdicios de comida, papel y ropa de fibra natural comenzaron a obstruir las calles. En la década de 1850, la desembocadura del río Chicago comenzó a presentar una colección permanente de basura sólida. La primera solución para ocultar todos esos desechos fue impactante. El ingeniero innovador, Ellis Sylvester Chesbrough, necesitaba sustrato para apilar sobre sus nuevas alcantarillas, así que siguió adelante y usó la basura.

Según la Enciclopedia de Chicago, "Muchos edificios y calles de Chicago ahora descansan sobre una docena de pies de basura del siglo XIX. La desembocadura del río Chicago fue transformada por desechos depositados en la tierra, y los desechos del Gran Incendio, junto con muchos desechos ordinarios, se utilizaron para extender el Lago (ahora Parque Grant)".

Durante el paisajismo extremo, innumerables pilas de basura yacían en las calles donde los residentes podían oler la suciedad y ver a las ratas. Una vez que el paisaje elevado fue sellado con tierra, las condiciones mejoraron significativamente. Desafortunadamente, los recolectores de basura ya no tenían ningún lugar útil para arrojar los desechos sólidos de una ciudad en crecimiento. Además, los servicios de los recolectores eran inconsistentes, y tendían a dejar los barrios más pobres cubiertos de suciedad mientras asistían a los distritos más ricos de la ciudad.

"Bubbly Creek" es un ejemplo del impacto de las leyes laxas de eliminación de basura. En la década de 1870, el envasado de carne era una de las industrias más importantes de Chicago. Debido a la importancia económica de las plantas procesadoras de carne, los miembros del gobierno y los funcionarios de saneamiento tendían a mirar hacia otro lado cuando se trataba de la eliminación de los desechos de empacado de carne. Como de costumbre, las vías fluviales naturales se llevaron la peor parte del problema:

> Bubbly Creek, una bifurcación del río Chicago, fue llamado así debido a las burbujas que se levantan de los desechos del matadero en descomposición. Las curtiembres, las destilerías y otras industrias arrojaron desechos a la rama norte del río Chicago y el río Calumet. Los desechos de las fábricas de hierro y acero se utilizaron para extender la orilla del lago del sureste de Chicago y el noroeste de Indiana.

Gracias a la inversión de las vías fluviales de Chicago, el suministro de agua potable del lago Michigan permaneció intacto; sin embargo, secciones de la ciudad estuvieron expuestas a los desechos de las fábricas de hierro, acero y productos químicos. Incluso las plantas de tratamiento de aguas residuales construidas en las décadas de 1920 y 1930 crearon residuos que terminaron en el agua y en la tierra. En las décadas de 1940 y 1950, el advenimiento de la energía nuclear creó aún más desechos que se utilizaron de manera sorprendente como relleno de paisajes. Durante este tiempo, se habían realizado avances en el mantenimiento de la basura en otras ciudades, y era bien sabido cómo evitar que los vertederos filtraran toxinas peligrosas en el manto freático. Chicago, sin embargo, eligió no buscar renovaciones tan costosas.

En cambio, en la década de 1950, Chicago enfrentó el aumento constante de la basura al elegir incinerar la mayor parte. Desafortunadamente, esta solución solo se sumó al gran problema de hollín y contaminación del aire. La ciudad se vio obligada a quemar y enterrar los desechos, y en 1962, la ciudad se vio obligada a exportar casi 3 millones de yardas cúbicas de basura a 72 vertederos rurales.

La segunda mitad del siglo XX trajo más desperdicio que cualquier parte del mundo haya visto nunca gracias a los envases de un solo uso, los productos desechables y el uso comercial de plástico. En las décadas de 1980 y 1990, afortunadamente, los procesos de rellenos sanitarios finalmente estaban en marcha y solo unos pocos cientos de incineradores privados de desechos seguían en uso. El vertido ilegal continúa afectando a la ciudad, pero existen muchas organizaciones para tratar de frenarla y limpiar las zonas más contaminadas de la ciudad.

El saneamiento es una batalla en curso en lo que a menudo se ha denominado la ciudad más sucia de América.

Capítulo 5 – El Distrito Financiero de América

Dejando a un lado las obras públicas, Chicago trabajó arduamente para identificarse como un centro de comercio lo antes posible. La ciudad se convirtió en el hogar de la Junta de Comercio de Chicago en 1848, el First Chicago Bank en 1863 y el Banco de la Reserva Federal en 1914.

La creación de la Junta de Comercio de Chicago fue probablemente inevitable. La ubicación privilegiada de Chicago entre los grandes sectores industriales, junto con la siempre impresionante telaraña de ferrocarriles, canales (que no eran alcantarillas abiertas) y carreteras, significaba que era el lugar perfecto para que los principales CEO y expertos financieros se reunieran y planificaran sus futuros. Y en la primera mitad del siglo XIX, eso es exactamente lo que hicieron.

Sin lugar a dudas, la fundación de la Junta de Comercio de Chicago fue uno de los eventos más importantes y formativos para la ciudad y la organización de las finanzas estadounidenses en su conjunto. Esta organización surgió para ayudar a los compradores y vendedores de productos básicos, dos grupos que no escaseaban en el centro que era Chicago, a proteger sus inversiones. Fue uno de los primeros intercambios de futuros y opciones en todo el mundo, y aún hoy es una entidad bajo la marca paraguas CME Group.

La formación de la Junta de Comercio de Chicago original fue sencillo de corazón. Los productores de productos básicos como el trigo y el maíz sabían que su producto tenía una demanda lo suficientemente alta como para que pudieran trabajar para producir más, pero al hacerlo, los agricultores hicieron imposible para ellos cultivar o producir cualquier otro tipo de producto. Si el maíz se zambulle al año siguiente, lo perderían todo. Querían seguridad al saber que su producto estaba garantizado para vender.

En el otro lado de la transacción, los consumidores mayoristas de productos básicos querían la seguridad de saber cuántas existencias podrían tener y cuándo llegaría.

La respuesta, como lo vieron los primeros habitantes de Chicago, fue establecer un contrato de futuros entre productores y consumidores. Por lo tanto, antes de que se cultivara un bushel de maíz, la producción esperada del agricultor se precontrató a compradores específicos por un precio predeterminado. En el mercado actual, los contratos de futuros como estos generalmente se denominan "derivados".

La formación de la Junta de Comercio de Chicago no solo afectó a compradores y vendedores en Chicago y sus alrededores; atrajo a empresarios estadounidenses de todo el país. Pronto, todas las principales industrias de Estados Unidos estuvieron representadas en Chicago: carreteras, ferrocarriles, carros, caballos, algodón, cereales, cuero, construcción naval, mantequilla, huevos, carne, textiles y piezas de maquinaria de fábrica.

Image Source[iii]

Con tantos tipos diferentes de productos básicos y compradores variados, el CBOT tenía la gran responsabilidad de mantener transacciones de calidad. Por eso, en 1864, crearon un contrato de futuros estandarizado para ser utilizado en su organización.

Con el tiempo, algunos miembros del sector agrícola crearon su propio subgrupo de la Junta de Comercio de Chicago, llamándose la Junta de Mantequilla y Huevo de Chicago. Fundada en 1898, la Junta de Mantequilla y Huevo se convirtió en la Bolsa Mercantil de Chicago en el siglo XX, y finalmente se unió nuevamente a la Junta de Comercio de Chicago y formó el Grupo CME. Antes de que se volviera a incorporar a la Junta de Comercio de Chicago, la Junta de la Mantequilla y el Huevo se convirtió en la principal organización para que los vendedores y compradores agrícolas elaboraran sus contratos de futuros especializados.

Además de los futuros, los productores agrícolas y los compradores mayoristas comenzaron a crear contratos de "opciones" entre ellos. Con un contrato de opción entre dos partes, el comprador o el vendedor tienen derecho a comprar o vender una mercancía a un precio específico y en una fecha específica. Un productor de huevos y el jefe de una tienda de comestibles, por ejemplo, podrían estar de acuerdo en que si la tienda de comestibles compraba huevos antes de septiembre, puede comprarlos por el precio reducido de 50 centavos por caja.

El comercio en Chicago se disparó, consolidando la dirección en la que se dirigía todo el país. La producción de productos primarios aumentó; la fabricación secundaria continuó evolucionando de manera compleja, y el consumidor final estaba al tanto de más productos que en cualquier otro momento de la historia.

Después de consolidar su reputación como un engranaje vital en la máquina que era Estados Unidos, Chicago estableció su primer centro bancario 15 años después de la creación de la Junta de Comercio de Chicago. Edmund Aiken y otros inversores utilizaron $ 100.000 para iniciar la compañía en 1863. Registrado federalmente como Charter Bank # 8, First Chicago Bank jugó un papel importante en la estabilización de Chicago durante y después de la guerra civil estadounidense.

Cuando la Unión y los ejércitos confederados estuvieron en guerra desde 1861 hasta 1865, Chicago se encontró lo suficientemente lejos de las líneas del frente para continuar fabricando y enviando productos con poca interrupción. Desafortunadamente para otras ciudades como St. Louis y Cincinnati, sus ferrocarriles adyacentes y las rutas comerciales del río Mississippi a menudo estaban demasiado cerca de los combates para ser utilizados. Las fábricas y los trabajadores de Chicago tomaron el relevo, suministrando al Ejército de la Unión con bienes, suministros y transporte para continuar la lucha de Abraham Lincoln por la unidad estadounidense.

Chicago no era el único proveedor del Ejército de la Unión, ni siquiera el más importante, pero seguía siendo un centro estratégico. La ciudad proporcionó al ejército de los Estados Unidos millones de dólares en caballos, carne, carpas, arneses, arcos y otros artículos antes del final de la guerra.

Si bien las tensiones raciales aumentaron tanto en Chicago como en otras ciudades de los Estados Unidos, Chicago proporcionó cierta estabilidad a los residentes y visitantes durante la guerra civil. El establecimiento del First Chicago Bank fue tan importante para los residentes del área que dependían de las transacciones bancarias para administrar sus negocios y pagar sus facturas que al final de la guerra civil, había un total de trece bancos nacionales ubicados allí. Eso era más que cualquier otra ciudad del país.

Después de la guerra civil, la industria fabril y la población de Chicago se triplicaron. La ciudad había tomado el control de St. Louis como el principal proveedor de carne de cerdo para el país, y la banca y las finanzas se habían vuelto tan importantes para la ciudad como su sector manufacturero.

La cadena original de First Chicago Bank todavía opera hoy bajo la marca First Chicago. En 1914, se construyó el Banco de la Reserva Federal en Chicago. Todavía es uno de los 12 bancos de reserva de Estados Unidos que conforman el banco central del país en la actualidad. Responsable de supervisar la economía local y de ofrecer servicios bancarios regulares como el procesamiento de pagos y el retiro de efectivo, el Banco de la Reserva Federal emplea a aproximadamente 1.600 personas. Es un elemento básico en el sector bancario de la ciudad tal como lo fue hace un siglo.

Actualmente, la economía de Chicago ocupa el puesto 21 en comparación con el resto del mundo. Su sector financiero está clasificado como el tercero más competitivo en los Estados Unidos (detrás de la ciudad de Nueva York y San Francisco) y el séptimo más competitivo del mundo. Su economía financiera todavía se basa en gran medida en el Grupo CME, además de la Bolsa de Valores de Chicago, la Bolsa de Opciones de la Junta de Chicago, NYSE Arca y muchas compañías de corretaje y seguros.

El resto de la economía de la ciudad descansa sobre los hombros de la industria del transporte, los servicios gubernamentales, la fabricación, la impresión y la producción de alimentos, todos construidos sobre la base de comerciantes, agricultores, líderes comerciales y constructores de ferrocarriles del siglo XIX.

Capítulo 6 – De Casas Rurales a Rascacielos; Arquitectura y Diseño de Chicago

Mientras los propietarios de las fábricas convertían a Chicago en el sueño de un capitalista y los bancos y las organizaciones comerciales estabilizaban las industrias locales, los arquitectos se pusieron a trabajar para transformar el paisaje urbano. Del "Resumen Anual del Comercio de Chicago", del año 1852: "Se han construido elegantes residencias en todas partes de la ciudad, se han erigido espléndidos bloques de tiendas en nuestras calles principales y los límites de la parte habitada de la ciudad se han extendido".

Al igual que el ferrocarril, los canales y el sector manufacturero comenzaron en 1852, al igual que los principales temas arquitectónicos de Chicago.

Si el espléndido comercialismo de mediados del siglo XIX no fue suficiente para atraer a las multitudes victorianas a Chicago, las espléndidas casas funcionaron. Todo el dinero que fluyó a la ciudad durante la era industrial no solo trajo productos a granel a Chicago; se gastaba dinero en casas vírgenes para los nuevos ricos de la ciudad. Casas de tres y cuatro pisos se alinearon en calles residenciales después de la década de 1850, en reemplazo de las pintorescas y cuadradas casas rurales que habían sido populares en las décadas anteriores. Estos fueron arquitectónicamente avanzados, altamente detallados y comunicativos de una cantidad razonable de opulencia. Anunciaron el éxito y la perspicacia comercial de los dueños de negocios de la ciudad.

Image Source[#]

Antes de que hubiera riqueza, sin embargo, estaba la casa rural. Esto fue lo que habría encontrado en la Chicago victoriana, ya que las fábricas todavía estaban echando raíces, mientras que los esclavos liberados y los inmigrantes europeos llegaron a la ciudad en masa.

La humilde casa rural generalmente presentaba un clásico techo A (medio aguilón) que daba a la calle, un sótano elevado y un cuerpo extenso y delgado para adaptarse al clásico terreno de Chicago. Tenían dos pisos, 2-4 dormitorios, un salón, cocina y área de despensa. Había una letrina separada construida afuera.

El Loop estaba equipado con este tipo de casas, generalmente construidas por los propietarios. Las casas solían ser de madera antes de 1871 y posteriormente de ladrillo. Aunque estas sencillas casas familiares son una gran parte del pasado de Chicago, hoy en día solo encontrará algunas de ellas en calles residenciales como Lincoln Park, el Lower West Side y West Town. Existen dos razones para ello. El primero se debe al incendio, y el segundo se debe a que los constructores actuales los derribaron.

Desafortunadamente, el Gran Incendio de Chicago de 1871 aniquiló gran parte de los edificios del centro de la era victoriana y de la guerra civil de la ciudad, pero la energía creativa con la que la ciudad se reconstruyó es algo que podemos observar en los edificios posteriores al Gran Incendio que todavía existen hoy en día. Las cabañas todavía fueron construidas por trabajadores de clase media, pero éstas fueron superadas por las casas urbanas y las famosas casas Greystone de Chicago.

Las piedras grises eran una maravilla de belleza, funcionalidad y verdadero ingenio de Chicago. Las calizas mismas fueron extraídas directamente en Illinois, lo que hizo que los edificios fueran asequibles y eficientes. El clásico estilo romano de esas primeras Greystones, construido generalmente entre 1890 y 1930, desmentía una actitud cambiante en el Chicago contemporáneo: una de arte, intelecto y medios. Estas espléndidas casas poseían ventanas empotradas, columnas y arcos en una variedad de diseños.

Aunque el estilo básico de las casas de Chicago evolucionó a lo largo de las décadas, el Greystone en sí siguió siendo popular entre los constructores y compradores de viviendas por igual. Incluso ahora, las piedras grises con arquitectura de estilo romano, de estilo Chateau o de estilo Queen Anne se conservan y presentan con orgullo por los propietarios y las organizaciones de preservación.

Ningún relato de la historia de amor de Chicago con el diseño arquitectónico estaría completo sin mencionar a Frank Lloyd Wright, uno de los diseñadores de edificios estadounidenses más famosos que ha participado en la creación en curso de Chicago.

Wright llegó a Chicago a finales de la década de 1880, no dos décadas después de que el Gran Incendio de Chicago destruyera la mayor parte del centro de la ciudad. Era el ambiente perfecto para un hombre de su talento e impulso. Wright llegó a la ciudad buscando trabajo; es seguro decir que encontró suficiente para ocupar su tiempo.

Cuando el aspirante a prodigio de Wisconsin llegó por primera vez a Chicago, no le impresionaron las cosas que vio a su alrededor.

Pensaba que la ciudad era sucia y sombría, pero repleta de posibilidades. Después de encontrar empleo como dibujante para Joseph Silbee, Wright aprendió los fundamentos de su nueva carrera y se encontró con una movilidad ascendente en la industria local. A medida que desarrolló su propio estilo de diseño, los conceptos "orgánico" y "Escuela de la Pradera" se convirtieron en parte de sus dibujos y conceptos característicos, aunque el arquitecto no utilizó este último término.

Wright y sus seguidores arquitectónicos (como Marion Mahoney Griffin, Walter Burley Griffin y Trost & Trost) diseñaron hogares con dos características fáciles de detectar, como aleros colgantes y líneas horizontales llamativas. De ahí el término "pradera" en la descripción estilística. Los aficionados e historiadores consideraron estas extensiones horizontales como un eco de las planicies planas y onduladas originales que ocuparon Chicago y otras ciudades del medio oeste antes de la urbanización. Wright, aunque llamó al estilo "orgánico", estuvo de acuerdo.

El nombre de Frank Lloyd Wright es prácticamente sinónimo de vivienda estadounidense del siglo XX, por una buena razón. Él construyó 500 casas, escuelas, iglesias y espectáculos públicos como el Museo Guggenheim, pero son las casas y el estilo general que realmente se convirtieron en parte de Chicago a largo plazo.

Como el mismo hombre afirmó: "Eventualmente, creo que Chicago será la gran ciudad más espléndida del mundo".

Mientras que Wright y sus colegas le dieron a los habitantes de Chicago de clase media una nueva opción en el diseño de viviendas, William Le Baron Jenney estaba haciendo sus propias incursiones arquitectónicas, lo más importante, el Edificio de Seguros para el Hogar en la esquina de las calles LaSalle y Adams.

La innovación más influyente de Le Baron Jenney no fue solo la altura; fue el uso de metal en lugar de piedra. Dado que Chicago no confiaba en la madera después del Gran Incendio, los arquitectos a finales del siglo XIX generalmente favorecían los materiales de construcción de piedra. Aunque impresionante y versátil, el inmenso peso de las piedras de construcción no permitía mucha altura. Cuando las vigas metálicas de soporte entraron en escena, un edificio de oficinas en cuclillas podría verse reforzado de repente por varias historias. Entonces, así es exactamente como Le Baron Jenney procedió. Cuando el edificio de Home Insurance se terminó, tenía diez pisos de altura, enmarcado en acero y cubierto de piedra. Era resistente al fuego, resistente a la gravedad, y a 138 pies, era el edificio comercial más alto del mundo.

Finalmente, el primer rascacielos fue demolido en 1930 para dar paso al nuevo Field Building (también conocido como ElSalle National Bank Building). Como fue desmantelado y transportado, la obra maestra de Le Baron Jenney fue cuidadosamente estudiada por equipos de arquitectos y diseñadores interesados en consolidar la reputación del edificio como el primer rascacielos del mundo. Marshall Field mismo nombró un comité para investigar el estado del edificio que estaba derribando. Según el informe de ese comité:

No dudamos en afirmar que el edificio Home Insurance fue la primera estructura alta que utilizó como principio básico de su diseño el método conocido como construcción de esqueleto y que hay muchas pruebas de que William Le Baron Jenney, el arquitecto, resolvió el problema particular. Problemas de altura y cargas que aparecen en este edificio, descubrieron la verdadera aplicación de la construcción del esqueleto en el edificio de estructuras altas e inventaron y utilizaron por primera vez sus formas especiales. También somos de la opinión de que debido a su prioridad y su éxito inmediato y renombre, el edificio Home Insurance fue de hecho la influencia primordial de la construcción de esqueletos, el verdadero padre del rascacielos moderno.

Capítulo 7 – Convención Nacional Republicana de 1860

Mayo 16-18, 1860

Chicago en 1860 era una ciudad de inmigrantes, inmigrantes de segunda generación, capitalistas y trabajadores. Los trabajadores de las fábricas fueron fuertemente influenciados por el Partido Comunista local debido al apoyo de estos últimos a los sindicatos y las huelgas de trabajadores. El Partido Whig acababa de disolverse, y el Partido Demócrata de los Estados Unidos se había vuelto demasiado centrista para una población de estadounidenses que apoyaba en gran medida la abolición de la esclavitud. El Partido Republicano recién llegó a la escena, y el electorado estaba tan involucrado en el resultado de la convención de 1860 que Chicago, literalmente, no podía albergar a todos los asistentes bajo un mismo techo. Las autoridades construyeron una estructura temporal de madera, llamada Wigwam, para albergar a 10.000 delegados e invitados republicanos. Ningún estado del sur envió delegados.

El Wigwam fue comisionado por varias empresas de Chicago que específicamente querían atraer a los republicanos y ser los anfitriones durante la convención. Fue construido en Lake and Wacker, y se conservó durante una década después. Durante la inminente guerra civil, el Wigwam (una palabra nativa americana usada para referirse a un refugio temporal) se usó para reuniones políticas y estratégicas. En 2002, el lugar en el que se encontraba el Wigwam original fue designado como Chicago Landmark.

Image Source[iii]

La Plataforma Republicana de 1860 se basó principalmente en el tema altamente controvertido de la esclavitud. Aunque el recién formado Partido Republicano era algo similar a un conglomerado de partidos de un solo tema y partidos marginales, cada miembro creía firmemente no solo en la abolición de la esclavitud del sur, sino en el establecimiento de una "legislación sobre el suelo libre" y la delicada legislación sobre esclavos fugitivos en todo Estados Unidos.

Free Soilers se centró en mantener la esclavitud fuera de los estados en los que las personas de raza negra ya eran libres; este fue un tema importante presentado por varios nuevos republicanos que originalmente habían formado su propio partido político. Una serie de declaraciones contra la esclavitud se enumeraron en el documento oficial de la plataforma, pero también hubo declaraciones no relacionadas. Entre ellos estaba la necesidad declarada de incluir a Kansas en la Unión, salarios más altos para los trabajadores y los agricultores, y la provisión de granjas gratuitas para los colonos previamente seleccionados.

Cuando la plataforma fue leída a los delegados e invitados en la Convención Republicana, fue recibida con aplausos aturdidores e inmediatamente aceptada por unanimidad.

Posteriormente, la convención se centró en la tarea principal en cuestión: seleccionar a su candidato para Presidente de los Estados Unidos. Del Washington Times:

> William H. Seward, el favorito republicano de Nueva York, envió a su equipo político a Chicago para asegurar la nominación de su partido. A mediados del siglo XIX, no se consideraba apropiado que el aspirante a candidato asistiera a la convención, por lo que Seward envió a su gerente político, Thurlow Weed, junto con los 70 delegados de sus estados y 13 vagones de apoyo.

Abraham Lincoln realizó su propia campaña presidencial independientemente de las probabilidades, y según el historiador Gordon Leidner, su equipo realizó todo tipo de trucos para ayudar a su candidato a ganar:

> Los hombres de Lincoln no dejaron ningún detalle desatendido en su búsqueda de esta estrategia. Se aseguraron de que los neoyorquinos de Seward estuvieran sentados lejos de otras delegaciones críticas con las que pudieran colaborar. Imprimieron cientos de boletos falsificados y los distribuyeron a los partidarios de Lincoln con instrucciones de presentarse temprano, a fin de desplazar a los seguidores de Seward. También asignaron a dos hombres con voces estentorianas notables para liderar los vítores. Según los informes, uno de estos hombres tenía una laringe lo suficientemente potente como para permitir que su grito se escuchara en el lago Michigan.

Cuando la delegación de William Seward llegó tarde a la convención el tercer y último día, descubrieron que sus asientos habían sido ocupados por los boletos falsificados de los partidarios de

Lincoln. Sin embargo, el favorito tuvo éxito en varias rondas de votación, avanzando hasta que él y Lincoln se enfrentaron cara a cara.

Los republicanos sabían que el candidato presidencial del Partido Demócrata era Stephen A. Douglas, un político nacido en Illinois con un gran apoyo de Chicago. Como otro hijo de Illinois, Abraham Lincoln también disfrutó de popularidad en la ciudad de la convención. Cuando su campaña ganó impulso a pasos agigantados tal como estaba planeado, el resto de los republicanos convocados comenzaron a considerar los beneficios de enfrentar directamente a Lincoln contra Douglas. Los dos se habían enfrentado previamente por la gobernación del estado dos años antes, con Douglas resultando como el ganador.

En la tercera votación, Lincoln tenía solo un voto y medio menos de haber logrado la nominación. Con una voz temblorosa y tartamudeante, el delegado de Ohio se levantó e hizo un anuncio que cambió la forma en que se desarrollaría el futuro: cuatro votos fueron enmendados y redistribuidos a Lincoln.

Image Source[iii]

Por supuesto, ganar la nominación en la Convención Republicana en Chicago fue solo el primer paso hacia la presidencia, pero en última instancia, Abraham Lincoln también lo ganó. Nombró a

William Seward su Secretario de Estado y vio a la Unión a través de una guerra civil que finalmente condujo a la abolición nacional de la esclavitud, la razón exacta por la cual se formó el Partido Republicano.

Unos meses más tarde, después de ganar las elecciones presidenciales, Lincoln se enfrentó a una abrumadora multitud de periodistas fuera del porche de su casa en Springfield, Illinois. No dispuesto a dedicarles gran parte de su tiempo, el Presidente electo habló durante unos breves minutos. Al hacerlo, reavivó la emoción del país que había votado por su liderazgo. "Recordemos en todo momento que todos los ciudadanos estadounidenses son hermanos de un país común y deben vivir juntos en los lazos del sentimiento fraterno".

Capítulo 8 – Exposición Colombiana Mundial en Chicago

Era el 400 aniversario de la llegada de Cristóbal Colón al Nuevo Mundo, y los estadounidenses querían celebrarlo. Al menos, su gobierno quería que lo hicieran.

1893 fue un año inusual para muchas personas en Chicago. El Gran Incendio todavía estaba presente en sus recuerdos y en las calles; la guerra civil fue un recuerdo aún más cercano. La Revolución Industrial estaba en pleno apogeo mientras que la Reconstrucción del país se desvaneció en la Edad Dorada. La gente estaba confundida acerca de su lugar en el mundo e incluso en los estados vecinos. Los afroamericanos se agolpaban en el lugar de trabajo, mientras que muchos blancos todavía intentaban dominarlos.

Los estadounidenses necesitaban una dosis de unidad, y el Congreso finalmente decidió dársela. Aunque otras ciudades, incluida la ciudad de Nueva York, presentaron fuertes ofertas para convertirse en anfitriones, Chicago fue el ganador por razones financieras y logísticas.

Muchos ricos de Chicago ayudaron a financiar la Feria Mundial, incluidos el fabricante de acero Charles H. Schwab, el magnate del hierro Milo Barnum Richardson y el banquero Lyman Gage. Fue Gage quien finalmente persuadió al Congreso para que premiara a su ciudad con el proyecto gracias a la recaudación de fondos de última hora que superó la oferta de la ciudad de Nueva York. Además del millón prometido para el evento si Chicago fuera el anfitrión, la ciudad también logró proporcionar los pies cuadrados abiertos necesarios para recibir a cientos de miles de personas y construir inmensas estructuras temporales.

Jackson Park fue elegido para la exposición, y las oficinas del evento se ubicaron en la calle Adams en el edificio Rand McNally. El arquitecto Daniel Burnham fue nombrado director; trabajando en estrecha colaboración con un equipo reducido, decidió construir un paisaje urbano ideal de acuerdo con los principios de Beaux Artes.

Importado de Francia, el estilo *Beaux* Artes era en gran parte neoclásico. Fue presentado en la Exposición Universal de París de 1889, un evento internacional que influyó en el diseño de Burnham para la Feria de Chicago. "No haga planes pequeños", afirmó Burnham. "No tienen magia para remover la sangre de los hombres. Haga grandes planes, apunte alto con esperanza y trabajo y permita que su lema sea el orden y la belleza de su faro".

Sus diseños para la Exposición Colombina fueron impecables y detallados. En total, el recinto ferial cubrió más de 600 acres de tierra. Había pabellones para representar a 46 naciones, un carnaval a mitad de camino, una noria de 264 pies, reproducciones de la Niña, la Pinta y Santa María (construida por los Estados Unidos y España) y un cine rudimentario. Una plataforma móvil giraba alrededor de los terrenos, transportando personas por toda la feria.

PLATE 105

FERRIS WHEEL —FROM THE WEST

Image Source

La comunidad internacional participó enormemente en la construcción del espectáculo, que fue una parte única del evento de Chicago. Esta fue la primera vez que otras naciones fueron invitadas a participar a través de los pabellones nacionales. Noruega envió un barco clásico llamado Viking, que actualmente reside en Ginebra, Illinois. Una compañía alemana organizó una exhibición de artillería que exhibía irónicamente armas que fueron los precursores de los obuses de la Primera Guerra Mundial.

Las estructuras principales de la pequeña ciudad estaban cubiertas de estuco blanco y las calles estaban iluminadas con luces eléctricas, dando a toda la exposición un brillo radiante. Fue denominada la "Ciudad Blanca".

Image Source[vi]

Parte del diseño administrativo de los pabellones internacionales en la feria involucró a cada nación en el nombramiento de su propio delegado. El pabellón haitiano eligió a Frederick Douglass como su representante. Esto resultó ser un movimiento controvertido, dado que Douglass fue uno de los exesclavos más destacados de la época.

Douglass se asoció con varios afroamericanos prominentes para coautor de un folleto titulado "La Razón por la Cual el Estadounidense de Color No Está Presente en la Exposición Colombiana del Mundo". Los autores estaban fundamentados en su frustración y enojo, dado que a muy pocos afroamericanos se les dio trabajo o se les permitió tener sus propias exposiciones en el evento. A ninguna persona de color se le permitió asumir el papel de guardia policial de exhibición. "Teóricamente abierta a todos los estadounidenses, la Exposición es prácticamente, literal y figurativamente, una "Ciudad Blanca", en cuyo edificio no se permitió la ayuda del estadounidense de color, y en su glorioso éxito no tenía participación. Quedaba para la República de Hayti [sic] dar la única representación aceptable que disfrutamos en la Feria".

Los autores lamentaron que su gente no hubiera tenido la oportunidad de celebrar, trabajar con sus compañeros y estar orgullosos de sus logros.

El entusiasmo por el trabajo que impregnó cada fase de nuestra vida nacional, inspiró especialmente a las personas de color que vieron en este gran evento su primera oportunidad de mostrar lo que la libertad y la ciudadanía pueden hacer por un esclavo. Han transcurrido menos de treinta años desde que la "guerra de rostro sombrío alisó su frente arrugado" y dejó como herencia de su corta pero agitada existencia cuatro millones de libertos, ahora los barrios de la Nación. En su justificación para el mundo, ninguno se sintió más interesado que el hombre de color, que Estados Unidos no podía omitir del registro el estado del exesclavo. Esperaba que el pueblo estadounidense con su protesta incesante de justicia y juego limpio, con gusto respondería a este llamado, y junto con la magnificencia de su industria, inteligencia y riqueza muestran evidencia de su amplia caridad y espléndidos impulsos humanos.

Reconoció que durante los pasados veinticinco años, Estados Unidos en el campo de la política y la economía ha tenido un trabajo propio. Sabía que los logros de su país interesarían al mundo, ya que ningún evento del siglo ocurrió en la vida de ninguna nación, de mayor importancia que la libertad y el voto de los esclavos estadounidenses. Estaba ansioso por responder a este interés mostrándole al mundo, no solo lo que Estados Unidos ha hecho por la raza de color, sino lo que ellos han hecho por sí mismos.

Aunque la segunda Feria Mundial del país en Filadelfia había sido un fracaso, la Feria de Chicago fue un gran éxito. Se estima que 26 millones de personas asistieron a visitar los lugares de interés entre mayo y octubre de 1893, y algunas de las estructuras construidas para la exposición se conservan hasta nuestros días.

Lamentablemente, la Exposición Colombiana del Mundo llegó a su fin no con las ceremonias de clausura de celebración, sino con el servicio conmemorativo del alcalde de Chicago, Carter Harrison, Sr.

La feria cerró de manera definitiva el 30 de octubre de 1893, y el recinto ferial se convirtió una vez más en un parque público.

Capítulo 9 – El Bar Clandestino y Al Capone

Al igual que el resto de los Estados Unidos, Chicago estuvo fuertemente influenciada por el movimiento de la sobriedad de mediados del siglo XIX. Grandes nombres como P.T. Barnum y Susan B. Anthony apoyaron la filosofía de que el abuso del alcohol era la causa principal de la mayor parte del mal en su país. Los defensores de la sobriedad se manifestaron a favor de la prohibición en masa antes de que la legislación les otorgara lo que querían.

A lo largo de la década de 1850, hubo un total de 13 estados en Estados Unidos que votaron para prohibir las ventas de alcohol. Illinois no fue uno de ellos. Desafortunadamente para aquellos involucrados en el movimiento, la guerra civil americana cambió todo repentinamente. Las ventas de licor financiaron tanto a los ejércitos de la Unión como a los confederados, y mientras el país se concentrara en la guerra, no había tiempo para discutir más prohibiciones en los estados restantes o como una iniciativa federal. La sobriedad, aunque todavía era una parte muy firme de la cultura estadounidense en la última parte del siglo XIX y principios del siglo XX, no se incluyó en la planificación reformadora.

Cuando Estados Unidos se unió a sus aliados en la Primera Guerra Mundial, se presentó la oportunidad perfecta al presidente Woodrow Wilson. Para apoyar el esfuerzo de guerra y preservar el grano solo para la producción de alimentos, el Presidente prohibió temporalmente la fabricación y venta de alcohol en todo el país.

A medida que la guerra llegaba a su conclusión final, se enviaron cada vez menos tropas estadounidenses al extranjero a zonas de conflicto. Wilson consideró esto como evidencia de que la prohibición ya no era necesaria. De The Literary Digest, 21 de mayo de 1919: "La desmovilización de las fuerzas militares del país ha progresado hasta tal punto que ahora me parece completamente seguro eliminar la prohibición de la fabricación y venta de vinos y cervezas".

No todos estaban contentos con la derogación. A pesar del veto de Woodrow, la nacionalización de la prohibición finalmente se aprobó como la Decimoctava Enmienda de la Constitución de los Estados Unidos en 1918. La ley entró en vigencia el 17 de enero de 1920. La prohibición duró 13 años, marcando el comienzo de la era del bar clandestino.

Tres años después, un neoyorquino llamado Alphonse Gabriel Capone compró una casa en el vecindario Park Manor de Chicago. Originalmente miembro de la pandilla Five Points de la ciudad de Nueva York, Capone buscó una posición similar en su nueva ciudad. Comenzó a trabajar con el jefe del crimen local Big Jim Colosimo, directamente bajo su reclutador, Johnny Torrio. El mismo año, Colosimo fue asesinado. Torrio y Capone trabajaron estrechamente durante los siguientes cinco años hasta que Torrio fue asesinado a tiros, presumiblemente por un miembro de una pandilla rival.

Después de 1925, el negocio de la pandilla Colosimo / Torrio recayó en Capone; fue un gran descanso para el gángster que eventualmente le brindaría millones de dólares al año. El negocio se centró prácticamente en cada vicio percibido de la multitud de la sobriedad: licor de contrabando, prostitución y juegos de azar. La pandilla de Capone cubrió el lado sur de Chicago, una sección de la ciudad que albergaba sus muchos burdeles, casinos y bares clandestinos. Su propiedad más lucrativa era el Four Deuces, un establecimiento en el que los clientes podían obtener prostitutas y bebidas alcohólicas. El negocio se encontraba en 2222 South Wabash Avenue, South Loop.

De hecho, fue el acto mismo de contrabandear licor sobre la frontera canadiense / estadounidense durante la Prohibición lo que otorgó el término "contrabando". Los contrabandistas regularmente colocaban botellas en sus botas para cruzar a los Estados Unidos, sacándolos una vez de manera segura en casa o en compañía de amigos o colegas. La industria, también conocida como "carrera del ron", se abastecía en gran medida del contrabando canadiense, pero también se alimentaba de licores caseros, llamados gin de bañera y alcohol ilegal.

Independientemente de su reputación, es cierto que Al Capone dirigió uno de los negocios de alcohol más extensos y exitosos de Estados Unidos bajo la Prohibición. También es cierto que él estaba personalmente conectado a los asesinatos de cientos de personas en todo el territorio de su pandilla. El mayor número de muertos proviene de los bombardeos de establecimientos de Chicago que, según los informes, se negaron a vender los productos de Capone. Aunque había muchos restaurantes, cafeterías y otros negocios ansiosos por volver a poner licor en el menú, Capone y su pandilla no estaban satisfechos con ellos. Cada cliente potencial vendió o fue intimidado para que vendiera el producto de Capone, o pagaron el precio final.

El capítulo más sangriento de la era de la Prohibición de Capone ocurrió el 14 de febrero de 1929, conocido como la masacre del día de San Valentín. Ese día, siete miembros de North Side Gang de Chicago fueron detenidos, conducidos por una calle en Lincoln Park y asesinados a tiros con metralletas Thompson. El golpe, atribuido a la pandilla competidora de Capone, probablemente tenía la intención de acabar con el líder del lado norte, George "Bugs" Moran. Moran no sufrió daños, pero un doble conocido, Albert Weinshank, fue asesinado.

Antes de la masacre, Moran se había hecho cargo de algunos de los salones de Capone y supuestamente estaba observando una de las huellas de sus rivales. Además del desprecio por los límites de las pandillas, North Side Gang fue responsable de numerosos secuestros y asesinatos de personas asociadas con Capone y su equipo de Chicago. Sin embargo, no se le pudieron imponer cargos a Al Capone, ya que estaba en Florida en ese momento.

Los asesinatos conmocionaron a Chicago y al resto de los Estados Unidos. Los bebedores que anteriormente habían creído que el contrabando era una industria inofensiva se vieron obligados a reconsiderar el verdadero costo de su cerveza y whisky. Según el Chicago Tribune, "estos asesinatos salieron de la comprensión de una ciudad civilizada. La masacre de siete hombres a plena luz del día plantea esta pregunta para Chicago: ¿es inofensivo?"

En 1931, Capone fue finalmente arrestado después de un interminable caso de evasión de impuestos. Fue sentenciado a once años de prisión, de los cuales cumplió seis años y medio, primero en Atlanta y luego en el famoso Alcatraz de San Francisco. El jefe del crimen murió en su casa en Palm Island en 1947, con su esposa a su lado.

Capítulo 10 – El Verdadero Sabor de Chicago

La cultura alimentaria de Potawatomis era compleja y bien establecida. Las tribus cazaban ciervos y alces, aves acuáticas y peces de agua dulce como pescado blanco, lubina y trucha de lago. Cosecharon arroz silvestre y maíz, calabaza y frijoles cultivados, e incluso aprovecharon los arces para obtener su dulce savia. Cuando Chicago todavía era un pedazo de pradera verde junto a los brillantes Grandes Lagos, la gente comía balanceadamente. Sus recetas se basaron en lo que llamaron las Tres Hermanas: maíz, calabaza y frijoles.

Los nativos amistosos mostraron a sus homólogos europeos cómo utilizar todas estas fuentes de alimentos, pero los colonos de la zona prefirieron utilizar los ingredientes de manera diferente. Los inmigrantes franceses ansiaban la mantequilla y la crema con sus verduras y pescado, al igual que las generaciones posteriores de colonos de Europa oriental y occidental junto al lago. Querían pan de trigo, queso y una variedad diferente de carnes que incluía carne de res y cerdo. A medida que los colonos se sintieron más cómodos en su nuevo entorno, aprendieron a criar y cultivar estos alimentos familiares, cambiando así el panorama culinario de la región de Chicago.

Para cuando los nativos americanos fueron expulsados del área por una sucesión de tratados, los grupos étnicos franceses, ingleses, irlandeses, alemanes y otros se habían vuelto dependientes de una mezcla de alimentos locales e importados. Eran los alimentos importados, particularmente carne de cerdo, res y trigo, los que se convertirían en los productos más importantes durante la Revolución Industrial.

Otro ingrediente no local se volvió popular después de la década de 1830, una época durante la cual muchos estadounidenses de Nueva Inglaterra llegaron a Chicago en busca de trabajo y oportunidades comerciales. Trajeron con ellos un gusto por las ostras de la costa este. El nuevo marisco, importado de Nueva Inglaterra, se hizo tan popular que un nuevo restaurante apareció en escena: el salón de ostras. Los amantes de la comida de Chicago aún recuerdan esta parte inusual de la historia de la ciudad, y actualmente puede encontrar modernos bares de ostras que se remontan a principios del siglo XIX.

Image Source[xviii]

Al mismo tiempo, los inmigrantes irlandeses estaban llegando a Chicago para escapar de los tiempos difíciles en su hogar, y estaban buscando algo familiar para comer. No tuvieron problemas para encontrar la papa, ahora ubicua, pero el cerdo en escabeche era difícil de conseguir y considerablemente costoso. Como la carne de res era la carne preferida en Chicago, los innovadores irlandeses dieron un salto y crearon carne en conserva. Fue un éxito, ofreciéndose en restaurantes de comida rápida que servían con repollo, tal como les gustaba a los clientes.

Un componente interesante de esta historia es que, dado que los inmigrantes irlandeses y judíos tendían a ocupar los mismos vecindarios en su ciudad adoptiva, ambos desarrollaron una gran afición por la carne en conserva y una variedad de carnes estilo charcutería. La carne era la delicadeza de la época, considerada por los amantes de la comida estadounidense como la mejor calidad. El asador reinó en Chicago en el siglo XIX, incluso más que las tiendas de delicatessen y de ostras que también juegan un papel importante en la cocina regional actual. La carne no era solo una proteína básica en gran cantidad; era algo que los ganaderos rurales que rodeaban la ciudad se criaron. Era una carne que miles de trabajadores fabriles procesaban diariamente. Era un ingrediente que podía curarse y prepararse de una docena de maneras, todo lo cual podía satisfacer el hambre de los comensales más pobres o más ricos.

Según la *Enciclopedia de Chicago*, el asador clásico define, y aún define, qué es la comida de Chicago en su esencia: una colección de alimentos básicos para satisfacer el apetito y relajar el alma. Todavía hoy, en una ciudad con acceso a ingredientes de cualquier parte del planeta, la cena más apreciada fuera de casa es la misma que hace 170 años: "Cantidades abundantes de carne roja, vino tinto, papas al horno, verduras con crema, brandy y cigarros".

En la década de 1850, los inmigrantes alemanes presentaron a sus nuevos vecinos el amor por las salchichas. La fabricación de carne de cerdo estaba en aumento, y los perros calientes entraron en escena. Los vendedores con carros de repente se convirtieron en un elemento constante de la esquina de Chicago, algo que no conmocionaría a un habitante actual de Chicago. Los jardines de cerveza llegaron junto con la cerveza y las salchichas alemanas, agregando una opción relajada al aire libre para las personas que de otra manera estaban encerradas en los salones con sus bebidas.

A finales del siglo XIX, Chicago se hizo famosa por sus restaurantes estilo cafetería, particularmente porque no había meseros a los que dar propina. Los camareros eran generalmente afroamericanos o irlandeses, dos clases sociales que se encontraban ocupando los trabajos peor pagados de Estados Unidos. Desafortunadamente, su reputación no se vio favorecida por el trabajo en la industria de servicios de alimentos, ya que la creencia general de los comensales era que los camareros de clase baja lo tratarían mal a menos que les otorgara propina. Contrariamente a lo que ocurre hoy, las mujeres no solían ser empleadas como camareras, ya que eso no sucedió hasta varias décadas después.

La exquisita gastronomía, aunque estaba disponible ya en la década de 1830, realmente no prosperó hasta la década de 1920 más decadente. En este punto, las mesas estaban cubiertas con telas, los menús se imprimían cuidadosamente en tarjetas y los comensales se encargaban de vestirse adecuadamente cuando visitaban un restaurante. Una gama en evolución exigía sabores más exóticos, y las cocinas comerciales contemporáneas se enorgullecían de contratar chefs indios o chinos. La comida francesa regresó durante algunas décadas, luego perdió rápidamente su atractivo para una ciudad de modernistas que la encontró sofocante y pasada de moda.

Dos alimentos especiales desarrollados en el siglo XX por los que Chicago se haría internacionalmente conocida: la pizza de masa gruesa y los hot dogs al estilo de Chicago.

Si le hubiera preguntado a alguien en la década de 1850 qué alimento prevalecería en el siglo XXI, es difícil imaginar que la respuesta hubiera sido "el hot dog". Sin embargo, el hot dog al estilo de Chicago es el favorito de los habitantes de Chicago y de los turistas. También conocidos como red hot, estos hot dogs de carne se colocan en un pan de semillas de amapola y se acompañan con mostaza, cebolla picada, condimento de pepinillo dulce, una rodaja de pepinillo, tomates, pimientos y sal de apio. Contra todos los instintos naturales que posee el resto de América, ¡los red hots no contienen ketchup!

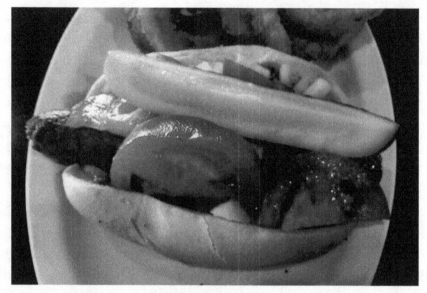

En cuanto a la pizza de masa gruesa de Chicago, tiene sus orígenes en las décadas de 1940 y 1950. Nadie puede estar de acuerdo con quién fue el primero, pero los principales contendientes son Ike Sewell y Rudy Malnati. Este platillo ofrece justo lo que promete, con un borde alto que les da a los fabricantes de pizza dos o tres pulgadas adicionales de espacio para apilar queso, salsa de tomate y otros ingredientes.

Va en contra de todo lo que un italiano considera sagrado y, sin embargo, es una tendencia que ha prevalecido.

Capítulo 11 – La Gran Depresión y la Segregación Legal

Chicago era una ciudad firme, pero no era inmune al colapso del mercado de valores de 1929. Primero, el mercado de valores de Londres colapsó en septiembre tras el arresto de varios de los principales inversores. El colapso de Wall Street se produjo no más de un mes después, paralizando el país y la mayor parte del mundo occidental.

Muchos factores contribuyeron al desastre económico, incluido el éxito económico prácticamente desenfrenado de la década anterior. Estados Unidos tuvo su auge en los reconocidos años veinte, y Chicago no fue una parte insignificante de esa época. La fabricación estaba en su punto más alto; los bienes eran abundantes y asequibles. La electricidad transformó los centros urbanos con luz y aire acondicionado, extendiendo la jornada laboral y generando más dinero para los CEO. En los campos, los agricultores tuvieron una temporada demasiado productiva, produciendo tanto trigo que el precio se derrumbó junto al Dow Jones.

El NYSE y el Chicago Mercantile Exchange colaboraron, implementando un sistema en el que el intercambio se detendría por un período de una o dos horas si el promedio de Dow Jones cayera más de 250 o 400 puntos. Los paros tenían la intención de darles a los comerciantes y corredores tiempo para reevaluar sus estrategias y ponerse en contacto con los clientes, aunque el plan fue criticado por inducir el pánico cuando los puntos comenzaron a caer.

Image Source[xxii]

A pesar de los intentos desesperados de los ricos de Estados Unidos de evitar que los precios de las acciones cayeran drásticamente, la gran y llamativa inversión diseñada para demostrar fe en el mercado finalmente fracasó. Más estadounidenses que nunca habían invertido su dinero en el mercado durante los años veinte, motivados por el alza del valor de las acciones que parecía interminable. Desafortunadamente, la mayoría de ellos pedían prestados hasta dos tercios del costo para invertir. Cuando se produjo el colapso, Estados Unidos había prestado más dinero del que realmente tenía en circulación. Se perdieron miles de millones de dólares de clase media y el desempleo arrasó con la nación.

En Chicago, el demócrata Edward Kelly se convirtió en alcalde en 1933 al organizar una coalición general que era en gran parte irlandesa, trabajadores de clase trabajadora y hombres de raza negra.

Satisfecho de tener una de las ciudades más poderosas del país en manos de su propio partido político, el presidente Franklin D. Roosevelt fue liberal con fondos federales bajo una iniciativa llamada New Deal.

El New Deal fue diseñado para redistribuir dinero federal a ciudades debilitadas como Chicago con programas específicos que proporcionaban empleos para residentes y fondos para servicios civiles. El dinero no solo aliviaría los problemas financieros de Chicago, sino que fomentaría la lealtad demócrata en los votantes de la ciudad. Esto fue especialmente sin precedentes en términos de votantes afroamericanos, que eran prácticamente todos partidarios republicanos antes del colapso del mercado de valores. Chicago votó demócrata abrumadoramente durante la década de 1930; también terminó la construcción de Lake Shore Drive, varios parques, treinta escuelas y un moderno sistema de transporte público.

Aunque la administración de Roosevelt, y la de Kelly, por asociación, se consideraban completamente modernas y liberales en ese momento, fue responsable de la formación de una era de segregación racial. La Asociación Federal de Vivienda entró en vigencia en 1934, aparentemente usando fondos federales para crear nuevas viviendas para las muchas personas sin hogar del país. Hizo exactamente eso, excepto que la letra pequeña de la legislación de la FHA indicaba que las nuevas viviendas no debían venderse a afroamericanos. Incluso había una cláusula de propiedad que restringía la reventa a alguien de color. Además, a los estadounidenses de raza negra se les negó el seguro hipotecario.

El historiador estadounidense Richard Rothstein concluye que esta segregación de viviendas fue completamente descarada; fue escrito claramente en los manuales de vivienda otorgados a desarrolladores y vendedores:

> La justificación de la Administración Federal de Vivienda fue que si los afroamericanos compraran casas en estos suburbios, o incluso si compraran casas cerca de estos suburbios, los valores

de propiedad de las casas que estaban asegurando, las casas de raza blanca que estaban asegurando, disminuirían y, por lo tanto, sus préstamos estarían en riesgo. No hubo fundamento para este reclamo por parte de la Administración Federal de Vivienda.

Hubo proyectos de vivienda separados dirigidos específicamente a personas de raza negra, ubicados estratégicamente para mantener a personas de raza blanca y negra en vecindarios completamente diferentes. Los estadounidenses blancos fueron subsidiados por el gobierno para trasladar a sus familias de centros urbanos saturados a los nuevos suburbios periféricos. A los afroamericanos no se les otorgó tal trato; esto condujo a un patrón demográfico que persiste hasta nuestros días.

La segregación persistió durante la Segunda Guerra Mundial, cuando a los veteranos se les otorgaron privilegios especiales cuando se trataba de hipotecas e impuestos de propiedad de vivienda. Aunque los veteranos de raza negra técnicamente podían solicitar una vivienda especial, la letra pequeña preexistente solo para blancos significaba que serían rechazados automáticamente. La Ley de Equidad de Vivienda no estaría en vigor hasta 1968, cuando la mayoría de los afroamericanos ya no podían permitirse comprar casas en los suburbios acomodados.

Dejando a un lado el perfil racial, los fondos del New Deal ayudaron a Chicago a resistir la Gran Depresión en mejor forma que la mayoría de las ciudades industriales. Lo que apartó a la ciudad, y al país, de la depresión económica fue la Segunda Guerra Mundial.

Chicago fue un foco de debate político acerca si Estados Unidos debería unirse o no a las Fuerzas Aliadas en Europa, pero antes de que se pudiera resolver la cuestión, las fuerzas japonesas atacaron Pearl Harbor en Hawái. Estados Unidos se unió al esfuerzo de guerra y Chicago fue uno de sus principales productores.

Decenas de miles de empleos se abrieron inmediatamente después del llamado a la guerra; Afroamericanos, trabajadores blancos y japoneses estadounidenses liberados recientemente de los centros de detención en tiempos de guerra acudieron en masa a Chicago en busca de empleo. Al proporcionar aviones, raciones de comida, paracaídas, motores y docenas de suministros militares esenciales, los habitantes de Chicago aseguraron no solo el éxito de las fuerzas de sus conciudadanos estadounidenses, sino también la recuperación económica de su país.

Capítulo 12 – Siglo Del Progreso

"La Ciencia Encuentra, La Industria Aplica, El Hombre Se Adapta"

Chicago celebró su centenario en 1933 y 1934 organizando otra Feria Mundial. Originalmente planeado para llevarse a cabo de mayo a noviembre de 1933, el evento resultó tan exitoso que se ejecutó nuevamente durante seis meses al año siguiente. La Feria Mundial: Century of Progress fue diseñada para celebrar lo lejos que había llegado la ciudad desde su incorporación y mostrar un vistazo a un futuro lujoso repleto de máquinas.

Image Source[xxiii]

En ese momento, el país estaba inundado en la agitación financiera de la Gran Depresión. Planificado antes de que el New Deal del presidente Roosevelt le diera al alcalde Edward Kelly y Chicago fondos adicionales para programas y eventos sociales, la feria se pagó en parte con un bono de $ 10 millones comprado el día antes del accidente. Para cuando la feria cerró definitivamente, la totalidad de la deuda había sido cancelada. La mayor parte del costo (hasta $ 100 millones) fue asegurado por Rufus Dawes. A cambio, Dawes recibió una gran contribución al tema del evento, así como a su organización.

Parte de la carga fue asumida por las corporaciones que fueron invitadas a participar en la feria con sus propios edificios de exhibición. Entre otras características de marca estaban un Edificio General Motors y un Pabellón Sears.

Un equipo de arquitectos locales, dirigido por Paul Cret y Raymond Hood, se reunió para diseñar el pabellón y las exhibiciones. Se dice que el equipo, que incluía a Edward Bennet y Hubert Burnham, pasó por alto la elección obvia de Frank Lloyd Wright porque era un pésimo jugador de equipo. De cualquier manera, Wright participó en el diseño conceptual.

La exposición Century of Progress se organizó en la cercana península de Lake Northerly Island en Chicago. La franja de tierra estaba construida por el hombre, pero en ese momento no era técnicamente parte de la ciudad de Chicago. Como propiedad de Illinois, Northerly Island ofreció a arquitectos y diseñadores la oportunidad única de crear estructuras que no hubieran seguido el código de construcción de Chicago. Estos fueron increíblemente ingeniosos para la época, ya que los arquitectos utilizaron muchos materiales nuevos, como placas de yeso prefabricadas, Masonite y Maizewood. También incorporaron abeto Douglas de 5 capas y metal corrugado. En términos de formas modernistas, los constructores pudieron construir el primer techo de catenaria (una estructura tipo cúpula) que se usó en los Estados Unidos sobre el Edificio de Viajes y Transporte. Brook Hill Farm Dairy presenta un techo de varias bóvedas construido con concreto de capa delgada, otra primicia estadounidense.

Donde la Exposición Colombina de 1893 había incorporado la arquitectura clásica en sus edificios y diseño espacial, los pabellones Century of Progress se construirían a partir de planes modernistas que nunca antes se habían visto. El recinto ferial no solo incluyó el Salón de la Ciencia, un edificio de viajes y transporte, un edificio de horticultura y la infame Casa del Mañana, sino una ciudad liliputiense de pequeñas personas y bebés reales en incubadoras.

Las Casas del Mañana son probablemente una de las exposiciones más recordadas de la feria Century of Progress. Estas casas modelo futuristas capturaron la imaginación de casi 40 millones de poseedores de boletos en 1933 y 1934 y desde entonces han aparecido una y otra vez en el arte y el entretenimiento contemporáneo. Son sinónimos de la Feria Mundial de Chicago de 1933, al igual que la feria en sí misma es sinónimo de una imagen positiva, esperanzadora y peculiar de los tiempos futuros en los que vivimos hoy. La energía y los recuerdos de esos dos años se han llevado a cabo en la cultura estadounidense, a veces de manera inesperada.

Image Source[xxiv]

Ray Bradbury escribió un cuento espeluznante llamado "There Will Come Soft Rains" sobre una casa moderna que estaba completamente controlada por computadora. En el lado más claro de las cosas, la Feria Mundial y su popular exposición también han sido conmemoradas por numerosos escritores como Clare Blank, Roy J. Snell, Max Allan Collins y Jean Shepherd.

Hubo varias casas modelo exhibidas en la feria, una de las cuales tenía el título superior "Casa del Mañana". El arquitecto de Chicago

George Fred Keck diseñó esta casa. La estructura era de 12 lados y 3 pisos de altura. Las dos plantas superiores estaban hechas de vidrio, mientras que el primer piso presentaba un pequeño hangar personal para aviones. Se instaló un lavaplatos en la cocina y la casa tenía aire acondicionado. En un intento por probar que los críticos de su diseño estaban equivocados, Keck instaló un sistema de calefacción que permitió que el calor solar se acumulara dentro de la casa durante el invierno. Desafortunadamente, el sistema de calefacción funcionó adecuadamente en el verano, lo que provocó la falla de la unidad de aire acondicionado.

Cinco de las casas modelo, incluida la Casa del Mañana, fueron compradas por Robert Bartlett y enviadas por el lago Michigan a su nueva casa en Indiana. En 2013, la Casa del Mañana fue declarada monumento nacional por el National Trust for Historic Preservation, lo que significa que podría someterse a renovaciones y reparaciones. Este lugar y las otras casas modelo originalmente movidas por Bartlett están disponibles para visitar, aunque las paredes de vidrio de la casa octogonal han sido reemplazadas para un mejor flujo de aire.

El propio presidente Roosevelt solicitó que el Century Of Progress continuara por segundo año. En medio de la Depresión, quedó impresionado por la influencia que el evento tuvo en el estadounidense promedio, que aún tenía ingresos y un lugar para vivir. Roosevelt quería que esas personas continuaran gastando para que los engranajes de la economía estadounidense pudieran acelerar una vez más; fue una táctica que funcionó, y las corporaciones que habían rechazado la participación en el calendario de 1933 cayeron sobre sí mismas para obtener un lugar en la carrera de 1934. Entre los recién llegados del segundo año estaba la Ford Motor Company, ansiosa por eclipsar la popular exhibición de la línea de ensamblaje de General Motors.

No todo salió según lo planeado en la feria. Durante el primer año, hasta 1.400 personas se enfermaron gravemente después de asistir. Se llevó a cabo una investigación y se descubrió que cada caso de disentería amebiana se remontaba a dos hoteles. La comida fue probada, pero pronto se hizo evidente que los hoteles compartían un sistema de plomería contaminado en el que las líneas de alcantarillado se filtraban en las tuberías de agua dulce. El problema se resolvió y la feria continuó, pero al menos 98 personas murieron ese año.

El Siglo de Progreso de la Feria Mundial causó una impresión duradera en Chicago y el resto de los Estados Unidos, y de hecho en el mundo. Seis años más tarde, Nueva York organizó otra Feria Mundial, llamada el Mundo del Mañana con un claro respaldo al evento anterior de Chicago.

La bandera de la ciudad de Chicago, originalmente diseñada con dos estrellas rojas de seis puntas entre dos franjas azules horizontales sobre un fondo blanco, fue alterada en reverencia al Siglo del Progreso. La primera estrella es para Fort Dearborn, un puesto militar que precedió a un asentamiento pesado en Chicago. La segunda estrella es simbólica del Gran Incendio de Chicago de 1871. La tercera y cuarta estrellas representan la Exposición Colombina de 1893 y el Siglo de Progreso de la Feria Mundial.

Capítulo 13 – La Agencia Nacional de Detectives Pinkerton

Los Pinkerton han sido una de las organizaciones más influyentes y duraderas de Chicago, y todo comenzó cuando un hombre escocés llamado Allan Pinkerton emigró a un área fuera de la ciudad en 1842. Encontró un trabajo fabricando barricas, pero en cinco años se había unido a la Departamento de policía de Chicago. Después de varios años con la policía, Pinkerton fue nombrado detective. Abrió su propia agencia en la década de 1850, y surgió la Agencia Nacional de Detectives Pinkerton. Se encontraba en 80 Washington Street.

Image Source[xv]

El primer gran caso de Pinkerton fuera del departamento de policía involucró la protección de cadáveres en el cementerio de Chicago. En ese momento, había un mercado subterráneo para cadáveres que las escuelas de medicina podían estudiar e investigar. Se proporcionaron legalmente muy pocos cadáveres para el campo de la medicina, pero los médicos y científicos apenas comenzaban a descubrir los secretos ocultos del cuerpo humano y no estaban preparados para detenerse. Las personas que suministraban cadáveres adicionales eran conocidas como resurreccionistas.

En la década de 1850, los muertos de Chicago cayeron presa del comercio resurreccionista. Cuando se encontraron cuatro tumbas frescas vacías, los detectives se movieron en el área y la vigilaron durante varios días. Después de días sin acción, vieron a un buggy alejándose del cementerio una noche, que contenía dos cadáveres y Martin Quinlan, la ciudad de Sexton. El hombre fue multado con $ 500 después de comparecer ante el tribunal.

El caso de robo de tumbas hizo famoso a Pinkerton en Chicago, pero obtuvo fama nacional cuando descubrió e impidió un complot para asesinar al presidente electo Abraham Lincoln en el camino a su toma de posesión. Se conoció como la trama de Baltimore. Según el secretario privado de Lincoln, John Nicolay, el futuro presidente tenía varios enemigos:

> Su carta estaba infestado de una amenaza brutal y vulgar, y le enviaron advertencias de todo tipo de amigos entusiastas o nerviosos. Pero tenía una mente tan sensata y un corazón tan amable, incluso con sus enemigos, que le resultaba difícil creer en el odio político tan mortal como para provocar un asesinato.

Nicolay estaba preocupado por el próximo viaje en tren a Washington, al igual que el ejecutivo ferroviario Samuel Morse Felton. Al escuchar rumores de que los conspiradores antisindicales estaban planeando asediar sus trenes, Felton contrató al detective más famoso del que había oído hablar: Allen Pinkerton. Según los informes, el detective se dirigió a encontrarse con Felton en el momento en que leyó la carta del hombre.

Aunque Felton y Pinkerton estaban igualmente preocupados por la próxima inauguración, a ninguno de los dos se les había ocurrido que la vida de Lincoln estaba en peligro. Cuando descubrieron un complot de asesinato que aguardaba al presidente electo en Baltimore, el detective hizo que Lincoln viajara en secreto por la ciudad, pasando a Washington en la parte trasera del tren, disfrazado.

Pinkerton afirmó: "El vicio puede triunfar por un tiempo, el crimen puede hacer alarde de sus victorias frente a los trabajadores honestos, pero al final la ley seguirá al malhechor a un destino amargo, y la deshonra y el castigo serán la parte de quienes pecan".

Después del exitoso viaje en tren y la inauguración, Lincoln contrató a la agencia de Pinkerton para cuidarlo durante la guerra civil. En 1871, el presupuesto del Departamento de Justicia del Congreso era bajo, por lo que las investigaciones internas subcontrataron a la Agencia de Detectives Pinkerton. Para 1893, se descubrió que se trataba de un conflicto de intereses que condujo a la Ley Anti-Pinkerton. Sin embargo, la agencia desempeñó un papel vital en la protección de los intereses comerciales y políticos de Estados Unidos en el siglo XIX.

Una de las agentes en el caso de Baltimore Plot fue Kate Warne, la primera mujer detective en los Estados Unidos. Ella era un tesoro nacional, descrito por el mismo Pinkerton en un libro de 1883 llamado El espía de la Rebelión como:

[Una] persona dominante, con rasgos claros y expresivos... una mujer esbelta, de cabello castaño, elegante en sus movimientos y posesiva. Sus rasgos, aunque no lo que podría llamarse atractiva [bella], eran decididamente de un elenco intelectual... su rostro era honesto, lo que causaría una angustia instintivamente [sic] para seleccionarla como confidente.

Pinkerton se sorprendió cuando Warne entró a su oficina en Chicago y expresó su interés en convertirse en detective. Él se lo contó, pero ella argumentó que una mujer estaría al tanto de las conversaciones y situaciones a las que los hombres no podían acceder tan fácilmente. Ella se ganó al jefe y fue contratada, y pronto se demostró a sí misma como la detective estrella en un caso contra un malversador con la Compañía Adams Express. En 1860, Pinkerton creó una agencia de detectives y nombró a Kate Warne a cargo.

Los detectives de Pinkerton cultivaron una excelente reputación con las empresas y el gobierno, pero la organización también hizo todo lo posible para mantenerse en buenos términos con los ciudadanos que estaban protegiendo. En los años posteriores a la guerra civil, los soldados, esclavos liberados y trabajadores desplazados de Estados Unidos se encontraron en tiempos difíciles. Miles de ellos no tenían otro recurso que caminar o andar por los rieles de una ciudad a otra, en busca de trabajo o un reparto. Las personas de clase media y adineradas tenían miedo de encontrarse con esas personas, y se comunicaron con la policía y los detectives locales como Pinkerton para protegerse de la amenaza percibida. El jefe de la agencia mantuvo la calma cuando se trataba de la situación, compadeciéndose en lugar de hacer arrestos indebidos:

¿Qué otro recurso han tenido estas personas para salvar a los vagabundos y rogar y robar para conservar la vida? Es una condición lamentable de las cosas, pero no hay duda de que la mayoría de los que están ahora en el camino están allí por necesidad y no por elección. Si hay miles de extranjeros que se han visto obligados a convertirse en vagabundos, ¿cuántos de nuestra propia gente se han visto obligados a vivir el mismo tipo de vida que la única forma de vivir fuera de la casa de los pobres?

Hoy en día, existen oficinas de Pinkerton en todo Estados Unidos y el resto del mundo; la compañía se especializa en gestión de riesgos y seguridad. Todavía existe una sucursal de Pinkerton en Chicago, y

Kate Warne está sepultada en la parcela de la familia Pinkerton en el cementerio Graceland de la ciudad.

Capítulo 14 – La Dinastía Daley

Desde principios del siglo XIX, Chicago ha sido el hogar de una sólida población de inmigrantes irlandeses. Los irlandeses estadounidenses de la ciudad han sido una fuerza impulsora en el lugar de trabajo, así como algunos de los líderes sindicales más prominentes a lo largo de la historia. En 1955, Richard J. Daley, ciudadano de Chicago descendiente de irlandeses, se convirtió en alcalde de la ciudad. Permanecería en el cargo hasta su muerte en 1975, después de haber servido en su ciudad durante 21 años.

Image Source[xvi]

Bajo el liderazgo de Daley, se construyó el aeropuerto internacional O'Hare de Chicago para reemplazar el aeropuerto Midway, de tamaño insuficiente. Las características de O'Hare realmente lo diferenciaban de los aeropuertos existentes en el mundo en ese momento, incluido el sistema de reabastecimiento de combustible subterráneo y el acceso directo a la terminal desde la autopista. Fue construido para el futuro, y Daley ciertamente estaba muy orgulloso de ello. O'Hare fue el aeropuerto más ocupado del mundo desde 1963 hasta 1998, y durante la guerra fría fue una base de combate activa.

El tiempo de Daley en la alcaldía no estuvo exento de turbulencias. De hecho, varios miembros de su administración política fueron acusados y condenados por corrupción. Pero esas dos décadas fueron vitales en términos de evolución cultural y étnica. Chicago era el hogar de grandes grupos étnicos minoritarios, incluidos irlandeses, alemanes, polacos, italianos y afroamericanos, y sin embargo, la mayoría de estos grupos estaban segregados de los blancos de clase media y alta en términos de empleos, salarios y vecindarios físicos. Las políticas de vivienda del New Deal de la década de 1930 todavía estaban vigentes. Incluso el mismo Daley vivía en Bridgeport, una sección notoriamente irlandesa de la ciudad.

En 1966, Martin Luther King, Jr. y James Bevel, de la Conferencia de Liderazgo Cristiano del Sur, visitaron Chicago para iniciar el activismo por los derechos civiles en la ciudad. El alcalde Daley decidió reunirse con los dos hombres en una conferencia cumbre y firmó una promesa prometiendo trabajar hacia una vivienda justa y abierta. Como la promesa no se basó en la legislación real, no logró mucho. Cuando King fue asesinado en 1968, el presidente Lyndon B. Johnson firmó la Ley de Equidad de Vivienda.

El alcalde Daley fue duramente criticado por sus palabras luego del asesinato del activista de derechos civiles. Cuando el público se enteró de la muerte de King, estallaron disturbios en todo Estados Unidos, con Chicago, Baltimore y Washington DC experimentando lo peor. Al discutir una conversación que había tenido con el superintendente de la policía James B. Conlisk, Daley afirmó a la prensa: "Le indiqué enfática y muy definitivamente que emitió una orden de inmediato para disparar a matar a cualquier pirómano o cualquier persona con un cóctel molotov en su mano, porque son asesinos potenciales, y disparar para mutilar o paralizar a cualquiera que esté saqueando".

Después de recibir una reacción violenta por su enfoque duro de la disidencia, Daley se retractó de su declaración anterior: "Es la política establecida del departamento de policía, totalmente respaldada por esta administración, que solo la fuerza mínima necesaria debe ser utilizada por los policías para llevar a cabo sus deberes". Más tarde ese mes, Daley afirmó: "No hubo ninguna orden de disparar a matar. Eso fue una fabricación".

Las cosas no fueron más fáciles para el alcalde Daley ese año. Además de Martin Luther King, Robert Kennedy había sido asesinado mientras se postulaba para presidente. Más tarde, en medio de la guerra de Vietnam, los Estados Unidos también se dividieron sobre si mantener el rumbo o enviar tropas a casa. Cuando la Convención Democrática llegó a Chicago ese año, el público lo aprovechó como una oportunidad para expresar sus preocupaciones. Se produjeron más disturbios durante la convención, con la policía interviniendo y las cosas se volvieron violentas. Daley defendió las acciones de su fuerza policial y, en 1971, fue reelegido por quinta y última vez.

Después de la muerte de Daley, Michael Anthony Bilandic asumió el cargo de alcalde hasta 1979. Una década después, Richard M. Daley fue elegido; serviría un año más que su reconocido padre.

Las máquinas industriales del mundo occidental eran tan fuertes como en las décadas de 1950 y 1960, cuando el primer Daley llegó al poder. Sin embargo, en la década de 1980, el llamado Rust Belt of America comenzó a formarse, desde Nueva York hasta Wisconsin. Estados Unidos, y Chicago, estaban perdiendo empleos industriales y manufactureros ante China y Japón, que podían producir por menos dinero. El alcalde Richard M. Daley podría permitir que su ciudad se hundiera en otra depresión económica, o podría encontrar la manera de despertar una nueva era económica. Él eligió lo último. Según el *Chicago Sun-Times*:

Daley tomó el control de las escuelas públicas cuando los políticos más cohibidos exhortaron precaución. Aceptó a la Autoridad de Vivienda de Chicago, prometiendo mejores hogares y mejores vidas para los residentes, sabiendo que habría consecuencias políticas y que seguramente lo lastimaría. Construyó el Millennium Park, devolvió la vida al teatro Loop por la noche, creó el Museo Del Campus, convirtió el embellecimiento de la ciudad en una prioridad y buscó la expansión de O'Hare. Ha tomado medidas audaces y grandes riesgos cuando podría haberse conformado con menos, impulsando a Chicago hacia adelante y asegurando su futuro.

Capítulo 15 – Oprah Winfrey y Harpo

Chicago ha sido el hogar de muchos grandes hombres y mujeres, pero uno de ellos destaca para una generación de afroamericanos y mujeres: Oprah Winfrey. Su historia de éxito internacional no solo inspiró a millones, sino que la compañía de producción de Winfrey, Harpo, proporcionó empleos, entretenimiento y una fuente de orgullo para Chicago durante más de dos décadas. La suya es una historia de emprendimiento y superación de obstáculos que brinda esperanza a muchos estadounidenses, la mayoría de los cuales siempre relacionarán el nombre de Oprah Winfrey con la ciudad de Chicago.

Image Source[xvii]

La historia de Oprah comenzó de la misma manera que lo hicieron muchos otros en los estadounidenses afectados por la pobreza. Ella nació de una madre adolescente en Mississippi, pobre y desfavorecida debido a las circunstancias y la raza. La década de 1950 todavía fue un momento difícil en Estados Unidos para los afroamericanos, particularmente aquellos sin una unidad familiar fuerte y estabilidad financiera. Después de quedar embarazada y perder a su hijo nonato a la edad de 14 años, la joven se fue a Tennessee a vivir con el hombre que (correctamente o no) fue nombrado como su padre en su certificado de nacimiento de 1954.

Es ahí donde la historia de Oprah deja de ser común porque, cuando era una joven adolescente, comenzó a concentrarse realmente en ganarse la vida. Winfrey consiguió un trabajo mientras todavía estaba en la escuela secundaria, trabajando en una estación de radio local totalmente de raza negra. Para cuando tenía diecinueve años, era copresentadora de las noticias locales de la noche. Pasó a los noticieros de televisión en Baltimore y Nashville antes de encontrar el trabajo que la llevaría a la mitad de la arena del programa de entrevistas diurno en Chicago. Los programas de entrevistas se estaban haciendo realidad cuando a Oprah se le asignó mejorar la valoración de un programa de televisión llamado AM Chicago. Era 1984, y Winfrey estaba rompiendo todo tipo de reglas de transmisión en una industria que era principalmente blanca y centrada en los hombres. Ese primer espectáculo no fue del todo bien, en las propias palabras de Oprah, "Todo salió mal. Estaba cocinando y yo no cocino".

La personalidad en pantalla de Oprah se ganó a la audiencia y, en un mes, AM Chicago obtuvo la mejor puntuación en su ciudad natal. Al año siguiente, fue nominada para un Premio de la Academia a la Mejor Actriz de Reparto por su papel de Sofía en *The Color Purple* de Steven Spielberg, y su popularidad vertiginosa inspiró a la estación de televisión WLS a cambiar el nombre de su programa matutino. A partir de 1986, la humilde niña de Mississippi se encontró presentando *The Oprah Winfrey Show.*

El programa tuvo una duración total de 25 temporadas, transmitiendo su episodio final en mayo de 2011. Durante ese tiempo, Oprah comenzó su propia compañía de producción, Harpo Productions, convirtiéndose en la productora de su propio programa. Presentó revistas reconocidas y creó la Red Oprah Winfrey (OWN). Ella protagonizó la película Amada, en la que interpretó a una exesclava que luchaba con su pasado, y una casa embrujada. Durante el show en sí, Oprah se hizo conocida por otorgar premios impresionantes a cada miembro de la audiencia, incluido un viaje a Disneyland y un auto nuevo.

Incluso después de que terminó *The Oprah Winfrey Show,* los diversos proyectos y compañías de Oprah emplearon a más de 12,500 personas, la mayoría de ellas ubicadas en Chicago. Ella era, y es, una industria en sí misma. Al convertirse en la mujer afroamericana más rica de la historia, Oprah siempre se centró en retribuir a la gente y la ciudad que la había apoyado.

Solo el Servicio de Impuestos Internos sabe realmente la cantidad de dinero que Oprah ha gastado en organizaciones benéficas cercanas y lejanas, pero incluso sin una cuenta completa, está claro que había dedicado millones de dólares a los habitantes de Chicago, los estadounidenses y la comunidad internacional. Según Inside Philanthropy, "la mayor parte de las donaciones de Winfrey se han destinado a causas educativas, incluidas las escuelas autónomas, los programas que apoyan a los estudiantes afroamericanos y la Academia de Liderazgo Oprah Winfrey en Sudáfrica".

Cientos de miles de dólares caritativos de Oprah se han dirigido a instalaciones educativas, con un enfoque particular en mejorar las oportunidades educativas para los estudiantes afroamericanos en Estados Unidos y en el extranjero. Ella fundó la Academia de Liderazgo para Niñas Oprah Winfrey en Sudáfrica, una escuela para la cual escoge a los estudiantes que a menudo han sido abusados o sufrieron la pérdida de miembros de la familia.

En su casa en Chicago, Winfrey vio otra oportunidad de ayudar a estudiantes desfavorecidos en la escuela Providence Saint Mel en el West Side. Con raíces que se remontan a la caída del mercado de valores, la escuela St. Mel se transformó en la década de 1970 bajo el liderazgo del director Paul J. Adams. Adams creó un régimen estricto en la escuela por el cual a ningún alumno se le permitía participar en comportamientos relacionados con pandillas, pelear en terrenos de la escuela o participar en actividades ilegales como robar o usar drogas. El castigo por tal comportamiento fue la expulsión.

Poco después de la nueva identidad de la escuela, el cuerpo gobernante católico decidió cerrarla. La directora Adams luchó para mantenerla abierta, lo que resultó en su condición independiente como instalación preparatoria para la universidad. Eventualmente, se expandió para aceptar estudiantes desde prejardín de infantes hasta el grado 12. Desde la década de 1970, la escuela Saint Mel se jacta de que cada estudiante graduado haya sido aceptado en la universidad. La escuela se considera una piedra angular del sistema educativo de Chicago, pero en muchas ocasiones se enfrentó a dificultades financieras. En 1993, Oprah Winfrey le dio a la escuela Providence Saint Mel $ 1 millón.

La potencia femenina afroamericana de la "Segunda Ciudad" de Estados Unidos también ha contribuido a Hábitat para la Humanidad, Save the Children, la Fundación Internacional de Investigación del Cerebro, el Museo Nacional Smithsonian de Historia y Cultura Afroamericana, el Consejo Nacional de Mujeres Negras y Green Belt International y le donó $ 1 millón al Millennium Park de Chicago.

En 2017, el rostro de Oprah fue pintado en un mural en el Centro Cultural de Chicago junto con otras personalidades pioneras de Chicago como Barbara Gaines (fundadora y directora artística del

Chicago Shakespeare Theatre) y Susanne Ghez de la Renaissance Society.

Kerry James Marshall, el artista, mencionó: "Dado que es el Centro Cultural y su papel en la ciudad, tenía mucho sentido honrar a estas mujeres que han sido importantes para la vida cultural en tantas instituciones".

Desde entonces, Winfrey se mudó a Montecito, California, pero su imperio continúa empleando e inspirando a personas en Chicago y el resto de los Estados Unidos. Ella sigue siendo un ícono cultural y un modelo a seguir para los afroamericanos, los habitantes de Chicago, las mujeres y los estudiantes de raza negra desfavorecidos en todas partes del mundo.

Capítulo 16 – Chicago Hoy

Chicago actualmente es todo lo que han hecho los últimos doscientos años: un horizonte de rascacielos, fábricas reutilizadas que albergan personas y nuevas empresas de Generación-Y. Viviendas familiares de mediados de siglo y apartamentos modernistas. Una población de inmigrantes descendientes con orgullo en su historia y esperanza para los hijos de sus hijos. Es una ciudad que siempre está en el precipicio del futuro, le guste o no.

Chicago contemporáneo es una ciudad de más de 2 millones de personas, muchas de las cuales tienen creencias genuinas sobre el grosor correcto de una masa de pizza e ideas estrictas sobre los ingredientes para hot dogs. Estas mismas personas recorren en bicicleta la vegetación del Millennium Park o se colocan un par de patines de hielo para visitar la pista en el centro. Llevan a sus hijos al Navy Pier para disfrutar de helados y paseos en carnaval. Y lo más probable es que trabajen en la industria de la salud o el sector de servicios.

En este momento, la economía de Chicago se está acelerando junto con las mejores, adaptándose a las nuevas tecnologías y las demandas de los consumidores en tiempo real. No importa si las pieles de castor, las vigas de acero o los programas de entrevistas son la próxima gran novedad en el mercado mundial, Chicago encontrará la manera de hacerlo y venderlo. En estos días, ese espíritu innovador está trabajando en gran medida en consultorios médicos, hospitales, servicios de alimentos, hospitalidad y oficinas de apoyo del gobierno.

El multiculturalismo de Chicago todavía está a la vanguardia de su identidad, aunque las cicatrices de la desigualdad racial y cultural todavía se pueden observar en áreas de vivienda no diversas y la tensión constante entre razas. Sin embargo, más familias afroamericanas han comenzado a mudarse del centro urbano a los suburbios de Chicago.

A medida que avanza la lucha por la igualdad racial, Chicago reclama al presidente estadounidense más popular de la historia reciente: Barack Hussein Obama. Nacido en Hawai, Obama vivió en Seattle, Indonesia, Nueva York y, finalmente, Chicago. Sirvió en el Senado de Illinois de 1997 a 2004 antes de ser elegido para el Senado de los Estados Unidos. Sirvió en este último hasta 2008, cuando fue elegido presidente.

Image Source[xviii]

Barack se casó con Michelle en 1992, y la pareja vivió en Chicago con su creciente familia hasta que el nuevo presidente fue llamado a la Casa Blanca. Para los afroamericanos en Chicago, el prestigio de compartir su ciudad con una persona de raza negra educada y exitosa que pasó a liderar todo el país no tenía precedentes. El senador y luego el presidente Obama representaron todo lo que un afroamericano debería ser capaz de lograr en la América actual. Chicago votó abrumadoramente por los demócratas en las dos campañas presidenciales de Obama, ganando al presidente 20 votos electorales para Illinois.

Después de que su tiempo en la Casa Blanca llegó a su fin, Barack Obama le ofreció a su ciudad una despedida oficial:

> Así que llegué a Chicago por primera vez cuando tenía poco más de veinte años, y todavía estaba tratando de descubrir quién era; sigo buscando un propósito para mi vida. Y era un vecindario no muy lejos de aquí donde comencé a trabajar con grupos de iglesias a la sombra de las acerías cerradas. Fue en estas calles donde presencié el poder de la fe y la tranquila dignidad de los trabajadores frente a la lucha y la pérdida.

Más tarde, en medio de multitudes de simpatizantes y manifestantes, quizás el sello distintivo de cualquier compañía importante en Chicago, la ciudad organizó una conferencia sobre el propuesto Centro Presidencial de Obama en el lado sur. En última instancia, con luz verde por el Ayuntamiento de Chicago, el proyecto está avanzando. El Centro Presidencial de Obama será una biblioteca presidencial pública, una que, según la organización del expresidente, proporcionará 5.000 empleos durante la construcción y 2.500 empleos para la administración y mantenimiento continuos. Obama ha dejado en claro que quiere retribuir a Chicago por todos los años que pasó allí criando una familia y comenzando su carrera política. Su fundación ha recibido miles de cartas y postales que piden que se construya la biblioteca, y específicamente en el clásico South Side.

Como siempre lo ha hecho, Chicago acepta el mañana con la expectativa de trabajar duro, pero con la esperanza de obtener una recompensa satisfactoria. Exige lo mejor y se esfuerza hacia ese objetivo. Como Mike Royko, columnista de Chicago, dijo una vez: "Una de las características de Chicago es que hacemos muchas cosas de manera original. ¿Qué otra ciudad ha hecho que un río fluya hacia atrás? ¿Qué otra ciudad hace que el tráfico fluya hacia atrás?".

Vea más libros escritos por Captivating History

HANNAH DUSTON

UNA GUÍA FASCINANTE SOBRE LA PRIMERA MUJER AMERICANA EN TENER UNA ESTATUA CONSTRUIDA EN SU HONOR

CAPTIVATING HISTORY

Notas en Imágenes

[i] *Ilustración de Xasartha, Wikimedia Commons*

[ii] *Fotografía por Teemu008, Wikimedia Commons*

[iii] *Fotografía por Railsr4me, Flickr*

[iv] *Fotografía de Dominio Público de 1890*

[v] *Fotografía por Rand, McNally & Co, Wikimedia Commons*

[vi] *Fotografía por Rand, McNally & Co, Wikimedia Commons*

[vii] *Fotografía por MindFrieze, Flickr*

[viii] *Fotografía por Erica Schoonmaker, Flickr*

[ix] *Fotografía por David Wilson, Flickr*

[x] *Fotografía por Anne Rossley, Flickr*

[xi] *Fotografía de Chicago Architecture Today, Flickr*

[xii] *Fotografía por E. Benjamin Andrews, Dominio Público*

[xiii] *Fotografía de TonyTheTiger en Wikipedia*

[xiv] *Fotografía de National Park Service, Flickr*

[xv] *Fotografía de C. D. Arnold (1844-1927); H. D. Higinbotham, Wikimedia Commons*

[xvi] *Fotografía de Boston Public Library, Flickr*

[xvii] *Fotografía de United States Bureau of Prisons, Wikimedia Commons*

[xviii] *Fotografía de **Lou Stejskal**, Flickr*

[xix] *Fotografía de Discover DuPage, Flickr*

[xx] *Fotografía de The DLC, Flickr*

[xxi] *Fotografía de Bryan... at Flickr*

[xxii] *Fotografía de dandeluca, Flickr*

[xxiii] *Fotografía de Dominio Público*

[xxiv] *Fotografía por Chris Light, Wikimedia Commons*

[xxv] *Fotografía de Library of Congress Prints and Photographs Division, Wikimedia Commons*

[xxvi] *Fotografía de U.S. News & World Report, Wikimedia Commons*

[xxvii] *Fotografía de aphrodite_in_nyc, Flickr*

[xxviii] *Fotografía por Pete Souza*

CPSIA information can be obtained
at www.ICGtesting.com
Printed in the USA
LVHW051614050623
748931LV00001B/23

9 781647 488611